Fe en la Oración

Fe en la Oración

Grupo Editorial Tomo, S. A. de C. V.
Nicolás San Juan 1043
03100 México, D. F.

1a. edición, enero 2003.
2a. edición, marzo 2005.

© *Fe en la Oración*
    Proyecto: Luis Rutiaga

© 2005, Grupo Editorial Tomo, S.A. de C.V.
    Nicolás San Juan 1043, Col. Del Valle
    03100 México, D.F.
    Tels. 5575-6615, 5575-8701 y 5575-0186
    Fax. 5575-6695
    http://www.grupotomo.com.mx
    ISBN: 970-666-571-4
    Miembro de la Cámara Nacional
    de la Industria Editorial No 2961

Diseño de portada: Trilce Romero
Supervisor de producción: Leonardo Figueroa

Impreso en México - *Printed in Mexico*

Contenido

Introducción

¿Qué es la oración?

La oración es una amistad en la que aprendemos a mirarnos como nos mira Él, en la que aprendemos a amarnos como nos ama Él y a amar como Él, en la que descubrimos dónde está nuestro verdadero valor. Él es un amigo que nos quiere, nos cuida, nos interpela y confronta, nos cura y saca nuestro mejor yo para que nosotros hagamos lo mismo y ayudemos a otros.

Requisitos y obligaciones

Somos capaces de gozar de Él y Él se goza con nosotros. Somos su delicia.

Él está en lo más íntimo de nosotros mismos. Tenemos un espacio reservado para Él que quizá otros usurpen pero no pueden llenarlo.

Si no descubrimos por experiencia el gozo y la alegría que nada ni nadie puede robarnos, es porque no queremos y nos conformamos con esas alegrías que dependen del exterior y cualquier cosa nos agita.

A su hora y en su momento... Él tiene su tiempo para cada uno.

Determinarnos, querer con todo el corazón, con toda el alma, con todas las fuerzas.

Quitarnos las sandalias; los prejuicios. Postura de verdad, ponernos al desnudo, sin adornos ni máscaras.

Dejarnos transformar por Él; entrar en Su ritmo.

Hagamos el silencio interior y exterior. El silencio es el lenguaje de Él: "la llevaré al desierto y le hablaré al corazón".

Iniciemos un camino de cambio, de conversión: morir al hombre y a la mujer viejos y nacer al hombre nuevo y a la mujer nueva. No ponerle condiciones a Él, dejarnos querer, interpelar, conquistar.

Aceptemos el reto de conocernos; descubrir cómo nos mira Él, dejar que nos descubra y saque nuestro mejor yo.

Antes de la oración

Ya que toda la persona hace la oración, oramos con el cuerpo también. Por eso es necesario hacer un mínimo de relajación, para volvernos del todo apertura y acogida y para despojarnos de todo lo que nos impide encontrarnos con Él: tensiones, preocupaciones, sueño, cansancio, etc.

Tensemos y aflojemos los músculos, estirémoslos lo más que podamos.

Tomemos una posición corporal correcta, aseguremos una buena respiración, soltemos recuerdos e imágenes, si tenemos alguna preocupación, nombrémosla y pongámosla ante el Señor, guardemos silencio. Ayuda mucho cerrar los ojos en este momento.

Concentrémonos, repitamos el nombre del Señor, visualicemos una imagen de Él. Si estamos en una iglesia o en la capilla, miremos hacia el infinito.

Pongámonos en la presencia de Él e invoquemos al Espíritu Santo.

Modos de oración

Petición: Es la oración que nos brota espontáneamente cuando nos acercamos a orar. ¿Cómo no pedir a Él si para Él nada es imposible? Pedir es fácil y difícil. Cuando pedimos, nos reconocemos pobres, necesitados y eso a veces nos cuesta. Sólo pedimos algo a quien sabemos que nos quiere.

Alabanza: Esta oración es gratuita; ya no somos nosotros el centro sino Él. Por medio de este modo de oración reconocemos la acción de Él en nosotros, en los demás, en la historia, en la naturaleza, lo descubrimos Creador, Todopoderoso, Bondad y Misericordia infinitas.

Acción de gracias: Tenemos tantos motivos para dar gracias. Lo miramos a Él, le bendecimos a Él. Dar gracias a Él es señal de que nuestra oración está madurando.

Intercesión: Este modo de oración es más solidario y comprometido, nos hace hermanos unos de otros. Se trata de traer a la oración a las personas que queremos, a las que sufren, a las que no nos caen bien.

Perdón: Es también una oración de petición. En muchos momentos necesitamos reconocer ante el Señor nuestra fragilidad, nuestra debilidad, nuestro pecado.

Bendición: Se trata de decir, desear, pedir cosas buenas para los demás e incluso manifestárselo.

Adoración: Nos sentimos impresionados por la proximidad de Él, ante quien vemos con mayor claridad nuestra pequeñez. Provoca el silencio como lenguaje de amor, de admiración, de deseo, de acogida.

Distintos modos de orar

Todo es motivo de oración: una buena noticia, la naturaleza, una experiencia dolorosa, un texto bíblico, una canción, la presencia de Él, el rostro de nuestros hermanos, etc.

Como normalmente oramos con la palabra de Él, podemos orar con los siguientes pasos:

Lectura: El objetivo es leer hasta que texto nos refleje algo de nuestra propia vida, nos sirva de espejo para mirarnos. La lectura responde a la pregunta "¿qué dice el texto?"

Meditación: Este momento responde la pregunta "¿qué dice el texto para mí?" Es el esfuerzo de llevarlo al interior de nuestra vida y realidad. Una buena manera de meditar es hacer preguntas al texto. A través de la meditación. Él nos inspira, se comunica con nosotros y crea en nosotros sus sentimientos.

Oración: En la oración nos preguntamos qué nos hace decirle a Él este texto. En los dos primeros momentos era Él el que hablaba, ahora nos toca a nosotros.

Contemplación: Es lo que queda en los ojos y el corazón después de la oración. Comenzamos a tener ojos nuevos para observar y evaluar la vida. Por la contemplación descubrimos y saboreamos la presencia activa y creativa de Él, nos comprometemos con el proceso de transformación que esta Palabra ha provocado.

Cómo aprender a orar

La influencia ejercida por la oración en planos superiores es invalorable. La oración debe salir del corazón y tener un interés comunitario y humanístico.

El secreto de la oración es dar, ofrecer y no pedir: porque Él lo sabe todo, todo lo ve y, en Justicia Cósmica, distribuye a cada cual lo que se merece. Aquel que pide sin antes dar se aleja del Concepto Divino. Quien obra bien se aproxima a Él.

La oración debe comenzar con una plegaria de dádiva para que logre su mayor efecto. Por ejemplo, podemos orar por el planeta Tierra y visualizarlo cubierto de mucha luz y mucho amor. Luego, según nuestras inquietudes, anhelos y virtudes, podemos comenzar una oración personal, ya sea metafísica, planetaria, cristiana, magnética o hecha de corazón. Por favor, no nos acordemos de la oración sólo cuando tengamos problemas. No compartamos solamente las tristezas, compartamos también las alegrías.

Oremos elevando nuestra mente al unísono de nuestro corazón y sintamos la gracia infinita de orar por los que sufren. Después, hagamos nuestras peticiones agradeciendo de antemano que están cumplidas.

No se puede orar cuando estamos llenos de soberbia y rencor. Podemos orar en cualquier sitio y en cualquier momento ya que Él está en todas partes y dentro de nosotros mismos.

Oremos en armonía con la Naturaleza y el Universo.

Orar es amistad

¿Es Él importante para nosotros? ¿Queremos profundizar nuestra relación con Él? ¿Queremos navegar mar adentro con Él? A través de estos consejos lo haremos. Lo invitamos a iniciar un proceso que va desde el asombro, la admiración, la petición hasta llegar a la gratitud, la alabanza y el compromiso.

Lo importante es ponerse en camino… levantemos nuestros corazones y dejemos que Él, el Maestro, nos enseñe a orar.

No es necesario tener alas para hablar con Él, sino ponernos en soledad y mirarlo dentro de nosotros. Procuremos cerrar los ojos del cuerpo y abrir los del alma. Mirémosle con el corazón. Él no está esperando otra cosa más que le miremos. Para aprovechar mucho en este camino de oración no necesitamos pensar mucho sino amar mucho.

Así, lo que más nos despierte a amar eso es lo que hay que hacer.

Aprendamos a orar en diez pasos

1. Comencemos por saber escuchar. El Cielo emite noche y día.

2. No oremos para que Él realice nuestros planes, sino para que interpretemos sus planes.

3. Pero no olvidemos que la fuerza de nuestra debilidad es la oración. El Señor dijo: "Pedid y recibiréis".

4. El pedir tiene su técnica. Hagámoslo atentos, humildes, confiados, insistentes y unidos a Él.

5. ¿No sabemos qué decirle a Él? Hablémosle de nuestros mutuos intereses, muchas veces, y a solas.

6. No convirtamos la oración en un monólogo, haríamos a Él autor de nuestros propios pensamientos.

7. Cuando oremos, no seamos engreídos ni demasiado humildes. Con Él no valen trucos. Seamos tal cual somos.

8. ¿Y las distracciones involuntarias? Descuidemos. Él y el Sol broncean con sólo ponerse delante.

9. Si alguna vez pensamos que cuando le hablamos, Él no nos responde..., oigamos su voz dentro de nosotros.

10. No hablemos nunca de "ratos de oración" y tengamos "vida de oración".

Luis Rutiaga

Oraciones de siempre

La Señal de la Cruz

Es la señal del cristiano.

Por la señal de la Santa Cruz (+ en la frente), de nuestros enemigos (+ en la boca) líbranos Señor, Dios nuestro (+ en el pecho). En el nombre del Padre y del Hijo y del Espíritu Santo (+ de la frente al pecho, del hombro izquierdo al derecho). Amén.

Esta oración va acompañada de un simbolismo que consiste en trazar tres cruces con el dedo pulgar, una correspondiente a cada línea de la oración; la primera en la frente (para ahuyentar los malos pensamientos), la segunda en el rostro (para evitar los pecados visuales) y la tercera en el pecho (para librarnos de los malos deseos).

Padre Nuestro

Jesús mismo nos enseñó esta oración.

Padre Nuestro que estás en el Cielo, santificado sea Tu nombre, venga a nosotros Tu reino, hágase Tu voluntad en la Tierra como en el Cielo. Danos hoy nuestro pan de cada día, perdona nuestras ofensas como también nosotros perdonamos a los que nos ofenden, no nos dejes caer en la tentación y líbranos del mal. Amén

Ave María

*Repetimos las palabras del Ángel Gabriel, de Santa Isabel
y las súplicas que los cristianos han dirigido a
Su Madre desde siempre.*

Dios te salve, María, llena eres de gracia, el Señor es contigo, bendita eres entre todas las mujeres y bendito es el fruto de Tu vientre, Jesús. Santa María, Madre de Dios, ruega por nosotros los pecadores, ahora y en la hora de nuestra muerte. Amén.

Gloria

Es un canto de alabanza a la Santísima Trinidad.

Gloria al Padre y al Hijo y al Espíritu Santo. Como era en el principio, ahora y siempre por los siglos de los siglos. Amén.

Acto de Contrición

Es un modo de pedir perdón a Él por nuestros pecados.

Yo me arrepiento de todos los pecados que he cometido hasta hoy y me pesa de todo corazón porque con ellos ofendí a un Dios tan bueno. Propongo firmemente no volver a pecar y confío en que, por Tu infinita misericordia, me has de conceder el perdón de mis culpas y me has de llevar a la vida eterna. Amén.

Yo Confieso

*Es una oración que se recita
en la Santa Misa.*

Yo confieso ante Dios todopoderoso y ante ustedes hermanos, que he pecado mucho de pensamiento, palabra, obra y omisión. Por mi culpa, por mi culpa, por mi gran culpa. Por eso ruego a Santa María, siempre Virgen, a los Ángeles, a los Santos y a ustedes, hermanos, que intercedan por mí ante Dios, nuestro Señor. Amén.

El Credo de los Apóstoles

*Es un resumen de lo que Él ha revelado a los hombres a
través de Jesucristo y la Iglesia lo enseña. Los cristianos
tienen en el Credo un resumen de su fe.*

Creo en Dios Padre Todopoderoso, creador del Cielo y de la Tierra. Creo en Jesucristo, su único Hijo nuestro Señor, que fue concebido por obra y gracia del Espíritu Santo, nació de Santa María Virgen; padeció bajo el poder de Poncio Pilato, fue crucificado, muerto y sepultado, descendió a los infiernos, al tercer día resucitó de entre los muertos; subió a los Cielos y está sentado a la derecha de Dios Padre, desde allí ha de venir a juzgar a los vivos y a los muertos. Creo en el Espíritu Santo, la Santa Iglesia

Católica, la Comunión de los Santos, el perdón de los pecados, la resurrección de los muertos y la vida eterna. Amén.

Salve

Es una súplica confiada a la Madre de Cristo
y Madre de cada uno de los hombres.

Dios te salve, Reina y Madre de Misericordia, vida, dulzura y esperanza nuestra, Dios te salve. A ti llamamos los desterrados hijos de Eva, a ti suspiramos, gimiendo y llorando, en este valle de lágrimas. Ea, pues, Señora, abogada nuestra, vuelve a nosotros esos Tus ojos misericordiosos y después de este destierro, muéstranos a Jesús, fruto bendito de Tu vientre. ¡Oh, clemente!, ¡Oh, piadosa!, ¡Oh, dulce siempre Virgen María!

V. Ruega por nosotros, Santa Madre de Dios.

R. Para que seamos dignos de alcanzar las promesas de Nuestro Señor Jesucristo. Amén.

Bendita sea tu pureza

Es una oración para pedir a la Virgen la pureza
en pensamientos, palabras y obras.

Bendita sea tu pureza y eternamente lo sea, pues todo un Dios se recrea en tan graciosa belleza. A Ti, celestial Princesa, Virgen Sagrada María, yo te ofrezco en este día alma, vida y corazón. Mírame con compasión, no me dejes, Madre mía.

Acordaos

Es una oración que dirigimos a la Virgen con la seguridad que seremos escuchados.

Acuérdate; oh, piadosísima Virgen María! que jamás se ha oído decir que ninguno de los que han acudido a tu protección, implorando tu auxilio, haya sido desamparado. Animado por esta confianza, a ti acudo, Madre, Virgen de las Vírgenes y, gimiendo bajo el peso de mis pecados, me atrevo a comparecer ante ti, Madre de Dios. No deseches mis súplicas, antes bien, escúchalas y acógelas benignamente. Amén.

Al Ángel de la Guarda

Todos tenemos nuestro ángel de la guarda. Invocarlo y tener amistad con Él es una ayuda para la vida cotidiana.

¡Ángel de mi Guarda, dulce compañía! No me desampares ni de noche ni de día. No me dejes solo que me perdería. Ángel de mi Guarda, ruega a Dios por mí. Amén.

Señor Mío Jesucristo

Señor mío Jesucristo, Dios y Hombre verdadero, Creador, Padre y Redentor mío; por ser Vos quien sois, Bondad Infinita, y porque os amo sobre todas las cosas, me pesa de todo corazón de haberos ofendido, también me pesa porque podéis castigarme con las penas del infierno. Ayudado de Vuestra Divina Gracia, propongo firmemente nunca más pecar, confesarme y cumplir la penitencia que me fuera impuesta. Amén.

Oh, Señora Mía

¡Oh, Señora mía! ¡Oh, Madre mía! Yo me ofrezco enteramente a Vos y, en prueba de mi filial afecto, os consagro en este día mis ojos, mis oídos, mi lengua, mi corazón; en una palabra, todo mi ser. Ya que soy todo vuestro, oh, Madre de Bondad, guardadme y defendedme como cosa y posesión vuestra. Amén.

Ángelus

El ángel del Señor anunció a María y concibió por obra y gracia del Espíritu Santo. *Avemaría*. He aquí la esclava del Señor, hágase en mí según Tu palabra. *Avemaría*. El Verbo de Dios se hizo carne y habitó entre nosotros. *Avemaría*. Ruega por nosotros, Santa Madre de Dios, para que seamos dignos de alcanzar las promesas de Nuestro Señor Jesucristo. Amén.

Oración

Infunde Señor tu gracia en nuestras almas para que los que por el anuncio del ángel hemos conocido la encarnación de tu Hijo, por su Pasión y su Cruz seamos llevados a la Gloria de la Resurrección. Por Jesucristo nuestro Señor. Amén.

Reina del Cielo

Alégrate Reina del Cielo, aleluya.
Porque el que mereciste llevar en tu seno, aleluya.
Resucitó según predijo, aleluya.
Ruega por nosotros a Dios, aleluya.
Gózate y alégrate , Virgen María, aleluya.
Porque ha resucitado Dios verdaderamente, aleluya.

Visita al Santísimo

Viva Jesús Sacramentado.
Viva y de todos sea amado.
Padre Nuestro. Ave María. Gloria. (3 veces)

Comunión Espiritual

Yo quisiera, Señor, recibiros con aquella pureza, humildad y devoción con que os recibió vuestra Santísima Madre; con el espíritu y fervor de los Santos.

Himno a Jesús Sacramentado

Te adoro con devoción, Dios escondido, oculto verdaderamente bajo estas apariencias. A ti se somete mi corazón por completo y se rinde totalmente al contemplarte. Al juzgar de ti se equivocan la vista, el tacto, el gusto, pero basta el oído para creer con firmeza. Creo todo lo que ha dicho el Hijo de Dios, nada es más verdadero que esta

Palabra de verdad. En la Cruz se escondía sólo la Divinidad pero aquí se esconde la humanidad; sin embargo, creo y confieso ambas cosas y pido lo que pidió el ladrón arrepentido. No veo las llagas como las vio Tomás pero confieso que eres mi Dios, haz que yo crea más y más en ti, que en ti espere y que te ame. ¡Memorial de la Muerte del Señor! Pan Vivo que da la vida al hombre: concede a mi alma que de ti viva y que siempre saboree Tu dulzura. Señor Jesús, Pelícano bueno, límpiame a mí, inmundo, con tu Sangre, de la que una sola gota puede liberar de todos los crímenes al mundo entero. Jesús , a quien ahora veo oculto, te ruego que se cumpla lo que tanto ansío; que al mirar Tu rostro cara a cara, sea yo feliz viendo Tu Gloria. Así sea.

Oración a San José

Feliz y Bienaventurado José, a quien le fue concedido no sólo ver y oír al Dios, a quien muchos reyes quisieron ver y no vieron, oír y no oyeron, sino también abrazarlo, besarlo, vestirlo y custodiarlo. Ruega por nosotros, Bienaventurado José para que seamos dignos de alcanzar las promesas de nuestro Señor Jesucristo. Amén.

Oración a San Miguel

Arcángel San Miguel, defiéndenos en la lucha, sé nuestro amparo contra la maldad y las asechanzas del demonio. Pedimos suplicantes que Dios lo mantenga bajo Su Imperio; y tu, Príncipe de la Milicia Celestial, arroja con el Poder Divino, a Satanás y a los otros espíritus malvados que andan por el mundo tratando de perder a las almas. Amén.

Bendición de la Mesa

Bendícenos Señor a nosotros y a estos alimentos que por Tu bondad vamos a tomar. Amén. El Rey de la Eterna Gloria nos haga partícipes de la Mesa Celestial. Amén.

Acción de Gracias

Te damos gracias, Omnipotente Dios, por todos tus beneficios, Tú, que vives y reinas, por los siglos de los siglos. Amén. El Señor nos de Su paz. Y la vida eterna. Amén.

Jaculatorias

Las jaculatorias son oraciones vocales breves que ayudan a mantener la presencia de Él a lo largo del día. Son palabras de amor, expresión de cariño vivo que salen espontáneamente. Puede servir aprenderse algunas de memoria:

Señor, Tú lo sabes todo, Tú sabes que te amo.
¡Señor mío y Dios mío!
Corazón Dulcísimo de María prepárame un camino seguro.
Auméntame la fe, la esperanza y la caridad.
Corazón de Jesús, en Vos confío.
Santa María, Madre del Amor Hermoso, ayuda a tus hijos.

Jesús, Hijo de Dios, apiádate de mí que soy un pecador.
No se haga mi voluntad sino la Tuya.
Reina de la Paz, ruega por nosotros

Yo Pecador

Yo, pecador, me confieso a Dios Todopoderoso, a la Bienaventurada siempre Virgen María, al Bienaventurado San
Miguel Arcángel, al Bienaventurado San Juan Bautista,
a los Santos Apóstoles Pedro y Pablo, a todos los Santos
y a vosotros, hermanos, que pequé gravemente con el
pensamiento, palabra y obra. Por mi culpa, por mi culpa, por mi gravísima culpa. Por tanto, ruego a la
Bienaventurada siempre Virgen María, al Bienaventurado San Miguel Arcángel, al Bienaventurado San Juan
Bautista, a los Santos Apóstoles Pedro y Pablo, a todos
los Santos y a vosotros, hermanos, que roguéis por mí a
Dios nuestro Señor. Amén.

Invocación al Espíritu Santo

Ven, Espíritu Santo, y envía desde el Cielo un rayo de tu luz.

Ven, Padre de los Pobres. Ven a darnos tus dones, ven a
darnos tu luz.

Consolador lleno de Bondad, dulce huésped del Alma,
suave alivio de los Hombres.

Tú eres descanso en el trabajo, templanza en las pasiones, alegría en nuestro llanto.

Penetra con tu santa luz en lo más íntimo del corazón de
tus fieles.

Sin tu ayuda divina no hay nada en el hombre, nada que sea inocente.

Lava nuestras manchas, riega nuestra aridez, cura nuestras heridas.

Suaviza nuestra dureza, elimina con tu calor nuestra frialdad, corrige nuestros desvíos.

Concede a tus fieles que confían en Ti, tus siete sagrados dones.

Premia nuestra virtud, salva nuestras almas, danos la alegría eterna. Amén. Aleluya.

Oración a la Sagrada Familia

Jesús, José y María, os doy el corazón y el alma mía. Jesús, José y María, asistidme en mi última agonía. Jesús, José y María, descanse en paz con Vos el alma mía.

Oración por la Concepción Inmaculada de la Virgen María

Padre, la boca se nos llena de cantares y el corazón rebosa de alegría porque se acerca el nacimiento de tu Hijo, que levantó del sueño a los pastores y sobresaltó a los poderosos. Pero, sobretodo, llenó de gozo a su Madre María, que había vivido un adviento de nueve meses. Ella, sencilla como la luz, clara como el agua, pura como la nieve y dócil como una esclava concibió en su seno la Palabra. Concédenos que, a imitación suya, seamos siempre dóciles al Evangelio de Jesús y así celebremos en verdad de fe la Pascua de su Nacimiento. Por nuestro Señor Jesucristo. Oh, Dios, que por la Concepción Inmaculada de la Virgen María preparaste a tu Hijo una digna morada y, en previsión de la muerte de tu Hijo, la preservaste de todo pecado, concédenos por su intercesión llegar a ti limpios de todas nuestras culpas. Por nuestro Señor Jesucristo. Amén.

Oración al Santísimo Corazón de Jesús

¡Oh, Santísimo Corazón de Jesús! Fuente de todas las bendiciones, yo te adoro, yo te amo y, con sincero arrepentimiento de todos mis pecados, yo te ofrezco mi corazón. Hazlo humilde, paciente, puro, y totalmente sumiso a Tu voluntad. Concédeme, Misericordioso Jesús, poder vivir para ti y por ti, protégeme en todos los peligros, confórtame en mis tribulaciones, dame salud y ayuda en mis necesidades temporales. Dame Tu bendición mientras vivo y el favor de morir en Tu gracia. Amén.

Oración a Nuestra Señora de Montserrat

Oh, Madre Santa, Corazón de Amor, Corazón de Misericordia, que siempre nos escucha y consuela, atiende a nuestras súplicas. Como hijos tuyos, imploramos tu intercesión ante tu Hijo Jesús. Recibe con comprensión y compasión las peticiones que hoy te presentamos, especialmente (*se hace la petición*). ¡Qué consuelo saber que tu Corazón está siempre abierto para quienes recurren a ti! Confiamos a tu tierno cuidado e intercesión a nuestros seres queridos y a todos los que se sienten enfermos, solos o heridos. Ayúdanos, Santa Madre, a llevar nuestras cargas en esta vida hasta que lleguemos a participar de la gloria eterna y la paz con Dios. Amén.

Nuestra Señora de Montserrat, ruega por nosotros.

Oración a San José

San José, mi Padre y Señor, tú que fuiste guardián fiel del Hijo de Dios y de su Madre Santísima, la Virgen María, alcánzame del Señor la gracia de un espíritu recto y de un corazón puro y casto para servir siempre mejor a Jesús y María. Amén.

Oración a San Judas Tadeo

Glorioso San Judas Tadeo, honor y gloria del apostolado, consuelo y amparo de los afligidos; yo te suplico por la gloria que gozas en el Cielo, por el privilegio de ser pariente cercano de Nuestro Señor y por el amor que, como todos los Apóstoles, tuviste a María Santísima, me concedas lo que te pido; y así como estoy seguro de que Jesucristo te oye y nada te niega, así también yo estoy seguro de experimentar tu protección y consuelo en esta urgente y gran necesidad. Por Cristo Nuestro Señor. Amén.

Otra oración

¡Oh Gloriosísimo Apóstol San Judas! Siervo fiel y amigo de Jesús, el nombre del traidor que entregó a vuestro querido Maestro en manos de sus enemigos ha sido la causa de que muchos os hayan olvidado. Pero la Iglesia os honra e invoca universalmente como patrón de los casos difíciles y desesperados. Rogad por mí que soy tan miserable y haced uso, os ruego, de ese privilegio especial a vos concedido de socorrer visible y prontamente cuando casi se ha perdido toda esperanza. Venid en mi ayuda en esta gran necesidad para que reciba los consuelos y socorro del Cielo en todas mis necesidades, tribulaciones y sufrimientos, particularmente (haga aquí las súplicas especiales que desea obtener), y para que bendiga a Dios con Vos y con todos los escogidos por toda la eternidad. Os prometo, Glorioso San Judas, acordarme siempre de este gran favor y nunca dejaré de honraros como a mi especial y poderoso protector y hacer todo lo que pueda para fomentar vuestra devoción. Amén.

San Judas, rogad por nosotros y todos los que os honran e invocan vuestro auxilio. Rezar tres veces con tres Padre Nuestro, tres Ave María y tres Gloria.

Oración a San Antonio de Padua

¡Oh, admirable y esclarecido protector mío, San Antonio de Padua! Siempre he tenido grandísima confianza en que me habéis de ayudar en todas mis necesidades, rogando por mi al Señor a quien servisteis, a la Virgen Santísima a quien amasteis y al Divino Niño Jesús que tantos favores os hizo. Rogadles por mí, para que por vuestra poderosa intercesión me concedan lo que pido. ¡Oh, Glorioso San Antonio! Pues las cosas perdidas son halladas por vuestra mediación y obráis tantos prodigios con vuestros devotos, yo os ruego y suplico me alcancéis de la Divina Majestad el recobrar la gracia que he perdido por mis pecados, y el favor que ahora deseo y pido, siendo para Gloria de Dios y bien de mi alma. Amén.

Oración a la Virgen del Carmen

¡Oh, Virgen Santísima Inmaculada, belleza y esplendor del Carmen! Vos, que miráis con ojos de particular bondad al que viste vuestro bendito Escapulario, miradme benignamente y cubridme con el manto de vuestra maternal protección. Fortaleced mi flaqueza con vuestro poder, iluminad las tinieblas de mi entendimiento con vuestra sabiduría, aumentad en mí la fe, la esperanza y la caridad. Adornad mi alma con tales gracias y virtudes que sea siempre amada de vuestro Divino Hijo y de Vos. Asistidme en vida, consoladme cuando muera con vuestra amabilísima presencia y presentadme a la augustísima Trinidad como hijo y siervo devoto vuestro, para alabaros eternamente y bendeciros en el Paraíso. Amén.

Oración a San Francisco de Asís

Gloriosísimo Protector y Padre mío, San Francisco, a vos acudo implorando vuestra poderosa intercesión, para entender el amor que Dios Nuestro Señor os manifestó al martirizar vuestra carne y vuestro espíritu. Vuestras llagas son cinco focos de caridad divina; cinco lenguas que me recuerdan las misericordias de Jesucristo; cinco fuentes de gracia celestiales que el Creador os confió para que las distribuyeseis entre vuestros devotos. ¡Oh, Santo amabilísimo! Pedid por mí a Jesús crucificado una chispa del fuego que ardía en vuestra alma aquel día dichoso en que recibisteis la seráfica crucifixión, a fin de que, recordando vuestros privilegios sobrenaturales, imite vuestros ejemplos y siga vuestras enseñanzas, viviendo y muriendo amando a Dios sobre todas las cosas.

Rezar 5 Padre Nuestro, Ave María y Gloria en honor de las cinco llagas de San Francisco. Concluir con la oración final.

Seráfico Padre mío San Francisco, pobre y desconocido de todos y, por esto, engrandecido y favorecido de Dios. Porque os veo tan rico en tesoros divinos, vengo a pediros limosna. Dádmela generoso, por amor al buen Jesús y a nuestra Madre, la Inmaculada Virgen María, y por el voto que hicisteis de dar por su amor todo lo que se os pidiese. Por amor de Dios, os ruego que me obtengáis dolor de mis pecados, la humildad y el amor a vuestra pasión. Os lo pido por amor de Dios. Así sea.

Oración a San Martín de Porres

Señor Nuestro Jesucristo que dijiste "pedid y recibiréis", humildemente te suplicamos que, por la intercesión de San Martín de Porres, escuches nuestros ruegos. Renueva, te suplicamos, los milagros que por su intercesión durante su vida realizaste y concédenos la gracia que te pedimos si es para bien de nuestra alma. Así sea.

Para pedir un favor

En esta necesidad y pena que me agobia acudo a ti, mi protector San Martín de Porres. Quiero sentir tu poderosa intercesión. Tú, que viviste sólo para Dios y para tus hermanos, que tan solícito fuiste en socorrer a los necesitados, escucha a quienes admiramos tus virtudes. Confío en tu poderoso valimiento para que, intercediendo ante el Dios de Bondad, me sean perdonados mis pecados y me vea libre de males y desgracias. Alcánzame tu espíritu de caridad y servicio para que amorosamente te sirva entregado a mis hermanos y a hacer el bien. Padre celestial, por los méritos de tu fiel siervo San Martín, ayúdame en mis problemas y no permitas que quede confundida mi esperanza. Te lo pedimos por Jesucristo, Nuestro Señor. Amén

Oración a San Pedro

Príncipe de los Apóstoles y de la Iglesia Católica: por aquella obediencia con que a la primera voz dejaste cuanto tenías en el mundo para seguir a Cristo; por aquella fe con que creíste y confesaste por Hijo de Dios a tu Maestro; por aquella humildad con que, viéndole a tus pies, rehusaste que te los lavase; por aquellas lágrimas con que amargamente lloraste tus negaciones; por aquella vigilancia con que cuidaste como pastor universal del rebaño que se te había encomendado; finalmente, por aquella imponderable fortaleza con que diste por tu Redentor la vida crucificado, te suplico, Apóstol Glorioso, por tu actual sucesor el Vicario de Cristo. Alcánzame que imite del Señor esas virtudes tuyas con la victoria de todas mis pasiones y concédeme especialmente el don del arrepentimiento para que, purificado de toda culpa, goce de tu amable compañía en la Gloria. Amen.

Oración a San Pablo

Glorioso apóstol San Pablo, vaso escogido del Señor para llevar su santo nombre por toda la tierra. Por tu celo apostólico y por tu abrasada caridad con que sentías los trabajos de tus prójimos como si fueran tuyos propios; por la inalterable paciencia con que sufriste persecuciones, cárceles, azotes, cadenas, tentaciones, naufragios y hasta la misma muerte; por aquel celo que te estimulaba a trabajar día y noche en beneficio de las almas y, sobre todo, por aquella prontitud con que a la primera voz de Cristo en el camino de Damasco te rendiste enteramente a la Gracia, te ruego por todos los Apóstoles de hoy y que me consigas del Señor que imite tus ejemplos oyendo prontamente la voz de sus inspiraciones y peleando contra mis pasiones, sin apego ninguno a las cosas temporales y con aprecio de las eternas, para gloria de Dios Padre, que con el Hijo y el Espíritu Santo vive y reina por todos los siglos de los siglos. Amén.

Oración a Santa Rosa de Lima

Santa Rosa, "Rosa y Reina del Perú", encendida en el amor a Dios y a la fe, te apartaste del mundo y te entregaste a Cristo en medio de admirables penitencias. Quisiste ser apóstol y llevar a todos los hombres hacia Jesús. Para ello renunciaste a tu hermosura y a tus atractivos humanos, mortificando tu cuerpo… Alcánzanos el camino de la verdadera vida para que lleguemos a gozar un día de los bienes eternos. Por Jesucristo Nuestro Señor. Amén.

Otra oración

Oh, Esclarecida Virgen, Rosa Celestial, que con el buen olor de vuestras virtudes habéis llenado de fragancia a toda la Iglesia de Dios y merecido en la gloria una corona inmarcesible; a vuestra protección acudimos para que nos alcances de vuestro Celestial Esposo un corazón desprendido de las vanidades del mundo y lleno de amor divino. ¡Oh flor, la más hermosa y delicada que ha producido la tierra americana!, portento de la gracia y modelo de las almas que desean seguir de cerca las huellas del Divino Maestro, obtened para nosotros las bendiciones del Señor. Proteged a la Iglesia, sostened a las almas buenas y apartad del pueblo cristiano las tinieblas de los errores para que brille siempre majestuosa la luz de la Fe y para que Jesús, Vida Nuestra, reine en las inteligencias de todos los hombres y nos admita algún día en su eterna y dichosa mansión. Amén.

Oración de San Francisco de Asís

Señor, hazme un instrumento de tu paz. Donde haya odio, permíteme sembrar amor; donde haya agravio, perdón; donde haya duda, fe; donde haya desesperación, esperanza; donde haya tinieblas, luz; y donde haya tristeza, alegría. Oh, Divino Maestro, concédeme que no busque tanto ser consolado, como consolar; ser comprendido, como comprender; ser amado, como amar porque es dando como recibimos, perdonando como somos perdonados, y muriendo como nacemos a la vida eterna. Amén.

Oración del Perpetuo Socorro

¡Oh, Madre del Perpetuo Socorro!, en cuyos brazos el mismo Niño Jesús parece buscar seguro refugio, ya que ese mismo Dios hecho Hijo tuyo como tierna Madre lo estrechas contra tu pecho y sujetas sus manos con tu diestra, no permitas, Señora, que ese mismo Jesús ofendido por nuestras culpas descargue sobre el mundo el brazo de su irritada justicia; sé tú nuestra Poderosa Medianera y Abogada y detenga tu maternal socorro los castigos que hemos merecido. En especial, Madre mía, concédeme la gracia que te pido. Amén.

Oración a la Virgen de Guadalupe

Dios de Poder y de Misericordia, bendijiste las Américas en el Tepeyac con la presencia de la Virgen María de Guadalupe. Que su intercesión ayude a todos, hombres y mujeres, a aceptarse entre sí como hermanos y hermanas. Por tu justicia, presente en nuestros corazones, reine la paz en el mundo. Te lo pedimos por Nuestro Señor Jesucristo, tu Hijo, que vive y reina contigo y el Espíritu Santo, Dios, por los siglos de los siglos. Amén.

Madre Admirable

Lirio frágil y esbelto, tan fragante quiero verte a mi lado, mi ternura de Madre por ti vela con amor exquisito, dulce amparo. Si peligros te cercan por doquiera con fementido halago y el mundo te presenta su hechizos, que encierran brillo falso. Acude a mí. Mi velo te cobija con maternal cuidado y este velo de Virgen sabrá darte de la pureza los divinos rasgos. En contra del demonio y sus ardides cubrirte he con mi manto. Este manto de Reina es poderoso y defender sabré tu débil tallo. Y si las amarguras de la vida te causaran quebranto, ven a mi corazón, nido de amores, que consuelo te brinda de antemano. Mi Corazón de Madre siempre escucha a aquél que, suspirando, acude a mí, nadie ha podido decir que me invocó sin resultado. Mi Corazón de Madre es el tesoro que da tierno descanso, esa paz abundosa, reposada, para las luchas y dolores arduos. Mi Corazón de Madre quiere darte un don, el más preciado que conozcas, que ames a mi Hijo y que grabes en ti todos sus rasgos. Es el Amigo Fiel que no abandona, su amor es soberano. Con ternura especial por ti vela, como nadie jamás habría velado. Y aunque todos te olviden, te desprecien o te sean ingratos, Jesús por siempre te amará con creces, como nadie jamás te hubiera amado. No olvides, pues, su amor ni lo desdeñes y en Él, siempre confiando, hallarás fuerza invicta en la ardua lucha por conservar tu brillo siempre intacto. Y con mi velo virginal cubierto y con mi regio manto vivirás, lirio fiel, cabe tu Madre su corazón por ti siempre velando.

Oración para un Hogar Feliz

Señor Jesús, Tú viviste en una familia feliz. Haz de esta casa una morada de tu presencia, un hogar cálido y dichoso. Venga la tranquilidad a todos sus miembros, la serenidad a nuestros nervios, el control a nuestras lenguas, la salud a nuestros cuerpos. Que los hijos sean y se sientan amados y se alejen de ellos para siempre la ingratitud y el egoísmo. Inunda, Señor, el corazón de los padres de paciencia y comprensión y de una generosidad sin límites. Extiende, Señor Dios, un toldo de amor para cobijar y refrescar, calentar y madurar a todos los hijos de la casa. Danos el pan de cada día y aleja de nuestra casa el afán de exhibir, brillar y aparecer; líbranos de las vanidades mundanas y de las ambiciones que inquietan y roban la paz. Que la alegría brille en los ojos, la confianza abra todas las puertas, la dicha resplandezca como un sol; sea la paz la reina de este hogar y la unidad su sólido entramado. Te lo pedimos a ti que fuiste un hijo feliz en el hogar de Nazaret junto a María y José. Amén.

Oración a la Virgen de la Caridad del Cobre

Santa María de la Caridad que viniste como Mensajera de Paz, flotando sobre el mar. Tú eres la Madre de todos los cubanos. A ti acudimos, Santa Madre de Dios, para honrarte con nuestro amor de hijos. En tu Corazón de Madre ponemos nuestras ansias y esperanzas, nuestros afanes y nuestras súplicas. Por la Patria desgarrada, para que entre todos construyamos la paz y la concordia. Por las familias, para que vivan la fidelidad y el amor. Por los niños, para que crezcan sanos corporal y espiritualmente. Por los jóvenes, para que afirmen su fe y su responsabilidad en la vida y en lo que da el sentido a la vida. Por los enfermos y marginados, por los que sufren en soledad, por los que están lejos de la Patria y por todos los que sufren en su corazón. Por la Iglesia Cubana y su misión evangelizadora, por los sacerdotes y diáconos, religiosos y laicos. Por la victoria de la justicia y del amor en nuestro pueblo. ¡Madre de la Caridad, bajo tu amparo nos acogemos! ¡Bendita Tú entre todas las mujeres y bendito Jesús, el fruto de Tu vientre! A Él la gloria y el poder, por los siglos de los siglos. Amén.

Un Padre Nuestro, tres Ave María, un Gloria al Padre.

Oración del Silencio

Cuando vayas a orar entra en tu aposento y, después de cerrar la puerta, ora a tu Padre que está allí, en lo secreto. ¿Palabras? No las quiero en mi boca ni existe palabra de hombre que sirva porque en ella el misterio se humilla. El corazón quiero abrir en don total al Padre que me habita en la intimidad queriendo que lo mío a lo suyo se iguale. Mi refugio, mi escudo, mi roca, canción que en el silencio me arrulla y me libera de temores y miedos. Eres Tú Padre quien en el silencio me habla y mi alma en el silencio calla y escucha tu voz me dice: ¡ama y sé feliz!

Oración a la
Santísima Virgen del Carmen

Súplica para tiempos difíciles

Tengo mil dificultades, ayúdame.
De los enemigos del alma, sálvame.
En mis desaciertos, ilumíname.
En mis dudas y penas, confórtame.
En mis enfermedades, fortaléceme.
Cuando me desprecien, anímame.
En las tentaciones, defiéndeme.
En horas difíciles, consuélame.
Con tu corazón maternal, ámame.
Con tu inmenso poder, protégeme.
Y en tus brazos al expirar, recíbeme.
Virgen del Carmen, ruega por nosotros. Amén,

Oración a la Medalla Milagrosa

Para obtener un favor

Inmaculada Madre de Dios y Madre Mía, que al entregarnos tu Medalla, te has mostrado dispensadora de todas las gracias del cielo. Reconozco mi indignidad para merecer tu protección; pero miro tu imagen con los brazos abiertos y recurro a ti para que me concedas la gracia que te pido.

Aquí se pide la gracia y se reza tres veces la oración jaculatoria: Oh, María, sin pecado concebida, ruega por nosotros que recurrimos a ti.

Oración de Acción de Gracias

Virgen Milagrosa, mírame delante de ti, lleno de alegría, para darte las gracias por el favor que me has concedido.

He reconocido, por experiencia, que siempre escuchas las peticiones que te hacemos y que tu Medalla es prenda de protección y de paz. Continúa, Virgen Milagrosa, otorgándonos favores y acercándonos cada día más al Señor. Oh, María, sin pecado concebida, ruega por nosotros que recurrimos a ti.

Oremos

Oh, Dios que has instruido los corazones de tus fieles con la luz de tu Espíritu Santo, concédenos por este mismo Espíritu gozar siempre de su consuelo. Por Cristo Nuestro Señor. Amén.

Te Adoro

Te adoro, Dios mío y te amo con todo el corazón. Te doy gracias por haberme creado, hecho cristiano y conservado en esta noche. Te ofrezco las acciones del día; haz que sean todas según tu Santa Voluntad y para tu mayor gloria. Presérvame del pecado y de todo mal. Que tu Gracia esté siempre conmigo y con todos mis seres queridos. Amén.

Ofrecimiento al Corazón de Jesús

Oh, Corazón Divino de Jesús, yo te ofrezco, por medio del Corazón Inmaculado de María Madre de la Iglesia en unión al Sacrificio Eucarístico, las oraciones y las acciones, las alegrías y los sufrimientos de este día. Te los ofrezco en reparación de los pecados, por la salvación de todos los hombres y bajo la gracia del Espíritu Santo para la mayor gloria de Dios Padre. Amén.

Alma de Cristo

Alma de Cristo, santifícame. Cuerpo de Cristo, sálvame. Sangre de Cristo, embriágame. Agua del Costado de Cristo, lávame. Pasión de Cristo, confórtame. Oh, buen Jesús; óyeme. Dentro de Tus llagas, escóndeme. No permitas que me aparte de Ti. Del maligno enemigo, defiéndeme. En la hora de mi muerte, llámame. Y mándame ir a Ti, para que con tus santos te alabe por los siglos de los siglos. Amén.

Ofrecimiento a María Santísima

Oh, María, Madre del Verbo Encarnado y Madre Dulcísima, estamos aquí a tus pies mientras comienza un nuevo día, un nuevo don del Señor. Depositamos en tus manos y en tu corazón todo nuestro ser. Nosotros seremos totalmente tuyos en la voluntad, en el pensamiento, en el cuerpo, en el corazón. Tu forma en nosotros, con bondad maternal en este día, una vida nueva, la vida de tu Hijo Jesús. Previene y acompaña. Oh, Reina del Cielo, con tu inspiración materna también nuestras más pequeñas acciones para que todo sea puro y grato a la hora del Sacrificio Santo e Inmaculado. Haznos santos, oh, Madre de Bondad. Santos como Jesús nos ha pedido y tu corazón ardientemente lo desea. Así sea.

Ángel de Dios

Ángel de Dios, que eres mi custodio, ilumíname, guárdame, rígeme y gobiérname ya que te fui confiado de la bondad celestial. Amén.

A la Almas del Purgatorio

Dales, Señor descanso eterno y brille para ellas la luz perpetua. Descansen en paz. Amén.

San Miguel Arcángel

San Miguel Arcángel, defiéndenos en la batalla, sé nuestro auxilio contra la malicia y las insidias del demonio. Rogamos suplicantes que Dios ejerza su dominio sobre él. Y Tú, Príncipe de la Milicia Celestial, con el poder que te viene de Dios precipita al infierno a Satanás y a los demás espíritus malignos que andan por el mundo buscando la perdición de las almas. Amén.

Acto de Fe

Dios mío, porque eres Verdad Infalible, creo firmemente cuanto has revelado y la Santa Iglesia nos propone creer. Expresamente creo en Ti, único Dios verdadero en tres personal iguales y distintas: Padre, Hijo y Espíritu Santo. Creo en Jesucristo Tu hijo amado, encarnado y muerto por nosotros, el cual dará a cada uno según sus méritos, la recompensa o el castigo eterno. Conforme a esta fe quiero siempre vivir. Señor, acrecienta mi fe.

Acto de Esperanza

Dios mío espero, por Tu bondad infinita, por Tus promesas y los méritos de nuestro Salvador Jesucristo, la vida eterna y las gracias necesarias para recibirla con las buenas obras que debo y quiero hacer. Señor, que yo pueda disfrutarte en la eternidad.

Acto de Caridad

Dios mío, te amo con todo el corazón sobre todas las cosas porque eres el Bien Infinito y nuestra Eterna Felicidad y por tu Santo Amor, amo también al prójimo como a mí mismo y perdono las ofensas recibidas. Haz Señor que yo te ame siempre más.

Acto de Contrición

Dios mío, me arrepiento de mis pecados y me pesa de todo corazón, porque pecando he merecido tus castigos y mucho más porque te he ofendido a Ti, infinitamente bueno y digno de ser amado sobre todas las cosas. Propongo, con tu Santo Auxilio, no ofenderte más y evitar las próximas ocasiones de pecado. Señor, misericordia, perdóname.

Oración a San José

A ti Bienaventurado José, necesitados en la tribulación acudimos con confianza e invocamos tu patrocinio con el de tu Santísima Esposa. ¡Oh, sagrado vínculo de caridad que te asocia a la Inmaculada Madre de Dios! Y por el amor paterno con que llevaste al Niño Jesús te imploramos: dirige tu mirada, con ojos benignos, a la querida heredad que Jesucristo adquirió con su sangre. Con tu poder de auxilio, te pedimos, socorre nuestras necesidades. Protege, oh, fiel custodio de la Sagrada Familia, la prole elegida de Jesucristo; aleja de nosotros, oh, Amadísimo Padre, los errores y vicios que debilitan al mundo de hoy. Asístenos propicio desde el Cielo en esta lucha contra el poder de las tinieblas. ¡Oh, nuestro Poderoso Protector! Como en otro tiempo salvaste de la muerte la vida amenazada del Niño Jesús, defiende ahora la Santa Iglesia de Dios de toda la adversidad y de las insidias hostiles del enemigo. Cúbrenos a cada uno con tu Santo patrocinio, para que con tu auxilio y ejemplo podamos virtuosamente vivir, piadosamente morir, adquiriendo la Eterna Bienaventuranza del Cielo. Amén.

Oración por un Enfermo

Oh, Dios mío, este enfermo que está aquí delante de ti ha venido a pedirte lo que él desea y piensa que es lo más importante para él. Tú, oh Dios, haz que entren en su corazón estas palabras: "¡Es más importante ser sanados del alma!" Señor, ¡hágase sobre él Tu santa voluntad en todo! Si Tú quieres que se sane, dale la salud. Pero si tu voluntad es diversa, que continúe llevando su cruz.

Te rogamos también por nosotros que oramos por él, purifica nuestros corazones para que seamos dignos de donar, a través de nosotros mismos, Tu santa misericordia. Protégelo y alivia sus penas, hágase en él Tu santa voluntad. Que Tu santo nombre sea revelado a través de él, ayúdalo a llevar con amor su cruz. Amén.

Gloria al Padre 3 veces.

Oración a la Madre de Bondad

Oh, Madre mía, Madre de bondad, de amor y misericordia, te quiero infinitamente y me ofrezco a Ti. Por medio de tu bondad, de tu amor y de tu gracia, sálvame. Yo deseo ser tuyo. Yo te quiero infinitamente y deseo que Tú me guardes. Desde lo más hondo de mi corazón, te ruego, Madre de Bondad, dame tu bondad. Haz que por medio de ella yo gane el Paraíso. Yo te ruego, por tu infinito amor, que me des la gracia, para que yo pueda amar a cada hombre, como tú has amado a Jesucristo. Te ruego para que me des la gracia de amar tu voluntad que es diversa a la mía. Me ofrezco totalmente a Ti y deseo que sigas cada uno de mis pasos. Porque Tú eres llena de gracia, deseo no olvidarlo nunca. Y por si acaso perdiera la gracia, te ruego que me ayudes a recobrarla. Amén.

Acuérdate

Acuérdate, oh, Piadosísima Virgen María, que jamás se ha oído decir que ninguno de los que han acudido a tu protección, e implorado tu asistencia, haya sido abandonado de ti. Animado con esta confianza, a ti acudo oh, Madre, Virgen de las Vírgenes y aunque gimiendo bajo el peso de mis pecados, me atrevo a comparecer ante tu presencia soberana, no desatiendas, oh Madre de Dios, mis súplicas. Antes bien, inclina a ellas tus oídos y escúchalas favorablemente. Amén.

Consagración al Sagrado Corazón de Jesús

Oh, Jesús, sabemos que Tú eres misericordioso y que has ofrecido tu Corazón por nosotros. Está coronado de las espinas de nuestros pecados. Sabemos que Tú oras, también hoy, para que no nos perdamos. Jesús, acuérdate de nosotros cuando caemos en pecado, por medio de Tu Corazón Santísimo haz que todos los hombres se amen. Que desaparezca el odio entre los hombres. Muéstranos tu amor. Todos nosotros te amamos y deseamos que Tú nos protejas, con tu Corazón de Pastor, de todo pecado. ¡Entra en cada corazón, Jesús! Llama, llama a la puerta de nuestro corazón. Sé paciente y perseverante. Nosotros todavía nos mantenemos cerrados porque no hemos comprendido Tu voluntad. Llama continuamente. Haz, oh, buen Jesús, que te abramos nuestro corazón, al menos, en el momento en que recordamos Tu pasión sufrida por nosotros. Amén.

Padre me pongo en Tus Manos

Padre, me pongo en Tus manos. Haz de mí lo que quieras. Sea lo que sea, te doy las gracias. Estoy dispuesto a todo. Lo acepto todo, con tal que Tu voluntad se cumpla en mí y en todas Tus criaturas. No deseo nada más, Padre.

Te confío mi alma, te la doy con todo amor de que soy capaz, porque te amo y necesito darme, ponerme en Tus manos sin medida con infinita confianza porque Tú eres mi Padre.

Consagración al
Inmaculado Corazón de María

Oh, Corazón Inmaculado de María, lleno de bondad, muéstranos tu amor. Que la llama de tu Corazón, María, descienda sobre todos los hombres. Nosotros te amamos inmensamente. Imprime en nuestro corazón el verdadero amor, así tendremos un deseo continuo por Ti. Oh, María, dulce y humilde de Corazón, acuérdate de nosotros cuando caemos en pecado. Tú sabes que todos los hombres pecan. Concédenos por medio de tu Corazón Inmaculado ser curados de toda enfermedad espiritual. Haz que siempre podamos contemplar la bondad de tu Corazón maternal y por medio de la llama de tu Corazón haz que nos convirtamos. Amén.

Dios Mío

Oración que el Ángel de Paz enseñó
a los pastorcitos de Fátima.

Dios mío, yo creo, adoro, espero y te amo. Te pido perdón por aquellos que no creen, no adoran, no esperan y no te aman.

Comunión Espiritual

Señor Jesús Sacramentado. Creo firmemente que estás verdadera, real y sustancialmente presente en el Santísimo Sacramento del Altar. Te amo, Señor, pero aún deseo amarte más y de esta forma vivir íntima y permanentemente unido a Ti. Por eso, me acerco a recibirte espiritualmente, ahora que no puedo hacerlo sacramentalmente. Ven a mí. Aviva y aumenta mi unión contigo. Te abrazo y me uno totalmente a Ti. No permitas que jamás me separe de Ti. Así sea.

No tienes manos

Jesús, no tienes manos; tienes sólo nuestras manos para construir un mundo donde habite la justicia. Jesús, no tienes pies; tienes sólo nuestros pies para poner en marcha la libertad y el amor. Jesús, no tienes labios; tienes nuestros labios para anunciar la Buena Noticia de lo pobres. Jesús, no tienes medios; tienes sólo nuestra acción para lograr que todos los hombres y mujeres sean hermanos. Jesús, nosotros somos tu Evangelio, el único Evangelio que la gente puede leer si nuestras vidas son obras y palabras eficaces. Jesús, danos musculatura moral para desarrollar nuestros talentos y hacer bien todas las cosas.

Oración a San Miguel Arcángel

San Miguel Arcángel, como Tú eres el encargado de todos los trabajos del mundo entero, te envío y te imploro en esta solemne hora y día y prendo esta vela al revés para que revires cuanta lámpara, cirio, trabajo, enviación o sortilegio venga en contra mía y se revoque en el cuerpo, sentidos y materia de mi enemigo y venga todo en mi favor. Que sufra como sufrió Jesús en el árbol de la cruz: amarguras, tormentos, tropezones, patadas y bofetadas, como las que Él sufrió. Que se vea negado de su principal y de toda la humanidad, como negado se vio Él de San Pedro. Que se vea en el mundo del cautiverio y de la desolación sin amparo ni abrigo. Que las tres caídas que dio Jesús sean las que dé y la última la dé en la puerta de mi hogar pidiéndome perdón de la falta cometida, siendo testigo de mi petición el influjo de los astros y el estrellado firmamento. Amén.

Rece tres Credos a Jesús Nazareno, haga su petición y persígnese.

Señor Jesús, enséñanos a ser generosos

Señor Jesús, enséñanos a ser generosos, a servirte como Tú mereces, a dar sin medida, a combatir sin temor a las heridas, a trabajar sin descanso, sin esperar otra recompensa que saber que hemos cumplido tu Santa Voluntad.

Oración a la Divina Providencia

¡Oh, Madre augusta de la Divina Providencia, la más ilustre y santa, la más accesible y tierna! Nosotros colocamos en vuestro maternal corazón nuestras tiernas oraciones para que se inflamen con sus purísimas llamas; alcanzadnos Señora para que nuestra humilde confianza en esa sabia, poderosa y vigente Providencia adquiera en terreno tan precioso y fecundo una belleza incorruptible, colores agradables, aromas delicados, virtudes divinas y un precio merecedor de eternos bienes, de dicha feliz y perpetua, de inmortales honores. Alcanzadnos de un tributo tan adorable y excelso que os hizo el brillante ornamento de la naturaleza humana y la luz más pura y esplendorosa del Empíreo todos aquellos bienes así temporales como espirituales, sin cuyo goce no podemos hacer tranquilamente por este valle de lágrimas nuestra peregrinación a la bienaventuranza. A vuestra poderosa súplica deben los pastores de la Iglesia santa sabiduría, prudencia y celo; los magistrados, la feliz dirección de los negocios públicos; los militares, la clemencia que corona plausiblemente los triunfos; los pecadores, su pronta sabiduría y saludable enmienda; los justos, precios aumentos de la virtud y gracia; los labradores, cosechas abundantes; y la industria, fecundos árbitros y útiles progresos. En fin, hija inmortal y memorable de la Divina Providencia, cubridnos con tu augusto manto para que comencemos desde este mundo, con nuestros cristianos procederes: una felicidad que se consuma algún día de un modo sorprendente y celestial en los tabernáculos eternos. Amén.

Rezar tres Ave María.

Oración a la Magnífica

De los primeros siglos de la Iglesia, los fieles de corazón recto y sencillo han tenido gran fe en esta santa oración, admitiendo como cierto que, usada diariamente de rodillas con fe, veneración, constancia, perseverancia y traída al cuello, recitándola en el momento de peligro, libra de toda calamidad y daño y desvanece la asechanza y perfidia de los inicuos y la maldad de los impíos.

Magnifica mi alma al Señor y mi espíritu se regocija en Dios mi Salvador porque ha puesto sus miras en la humilde sierva suya. He aquí que por esto mismo, me tendrán por dichosa todas las generaciones, pues ha obrado en mí cosas grandes. Él, que es Todopoderoso —y su nombre es santo— y su misericordia se extiende de generación en generación a todos cuantos le temen.

Extendió el brazo de su poder y ahuyentó a los soberbios de corazón. Desposeyó a los poderosos. Elevó a los humildes. A los necesitados, los llenó de bienes y a los ricos dejó sin cosa alguna. Recibió a Israel, su siervo, obrando su misericordia así como se lo había prometido al padre Abraham y a todas sus generaciones por los siglos de los siglos. Amén.

Oración a la
Santa Cruz de Caravaca

Abogada contra los rayos, centellas y tempestades.

De esta Cruz Soberana oigan, señores, milagros y prodigios con mil primores, pues son tan grandes que no hay pluma que pueda bien numerarlos. De los Cielos bajaron con alegría los Ángeles en coro a conducirla y son tantos los milagros que obra, que es un encanto. Hombres, niños y mujeres lleven consigo la Cruz que fue bajada del Cielo Empíreo para consuelo, líbranos de las garras del dragón fiero. Cojos, mancos, tullidos, ciegos y sordos, en la Santa Cruz hallan consuelo todos, que es tan hermosa, que la escogió Cristo para su esposa. Del Cielo fue enviada del Padre Eterno para que conozcamos el gran misterio que es el que encierra, que así nos la conceda Dios en la Tierra. Los serafines todos cantan y alegran a esta Cruz Soberana, fina diadema, porque en el Cielo es el lecho de Cristo nuestro consuelo. Dichosa Caravaca puedes llamarte pues gozas en los Cielos el Estandarte, que es la Santa Cruz donde su vida y sangre dio nuestro Jesús. Todos los caminantes y marineros, por la mar y caminos andan sin miedo, como se valgan de llevar en el pecho la Cruz amada. Son grandes los misterios de esta reliquia y así dignamos todos que sea bendita; para que tiemble el infierno y la gente que dentro tiene. De muertes repentinas, incendios, robos y otros muchos peligros nos libre a todos la Cruz Sagrada que en los brazos de Cristo fue desposada.

Oración a la Santísima Virgen del Perpetuo Socorro

Refugio de Pecadores, Madre de Misericordia, Santísima Virgen María, vedme contrito y humillado ante Vos, implorando vuestro matrocinio. Confiado en vuestra inagotable bondad, espero me alcancéis de vuestro divino Hijo, las gracias necesarias para hacer con frutos esta oración que os consagro Madre del Perpetuo Socorro, recibid, Madre Amabilísima, mi corazón y todas las aspiraciones de mi alma, mis deseos, mis palabras y mis pensamientos. Más como nada puedo si Vos no me prestáis vuestro poderoso auxilio y vuestro Perpetuo Socorro, preparad mi espíritu para que mi ofrenda sea digna de Vos. Amén.

Otra oración

¡Oh, Madre del Perpetuo Socorro, poderosísima Virgen María! Iluminad mi entendimiento, excitad mi voluntad y moved mi corazón para que conozca vuestra excelencia y conociéndola os ame, os alabe y os bendiga cuanto merecéis ser amada, alabada y bendita. Purificad mi corazón para que aborrezca el pecado y solamente ame a vuestro Hijo y a Vos en esta vida para merecer amaros y gozaros eternamente en el cielo. Amén.

Oración a la
Virgen Santísima de Guadalupe

Acuérdate, piadosísima Virgen María de Guadalupe, que en tus celestiales apariciones en la montaña del Tepeyac prometiste mostrar tu clemencia amorosa y tu compasión a los que te amamos y buscamos solicitando tu amparo, llamándote en nuestros trabajos y aflicciones, ofreciéndote escuchar nuestros ruegos, enjugar nuestras lágrimas y darnos consuelo y alivio. Jamás se ha oído decir que ninguno de los que hemos implorado tu protección, ya en las públicas necesidades, ya en nuestras congojas privadas, pidiendo tu socorro, hayamos sido abandonados. Con esta confianza acudimos a Ti, siempre Virgen María, Madre del Dios Verdadero, y aunque gimiendo bajo el peso de nuestros pecados, venimos a postrarnos en tu presencia soberana seguros de que te has de dignar cumplir misericordiosa tus promesas; esperamos que no ha de molestarnos no afligirnos cosa alguna ni tendremos que temer enfermedad ni otro accidente penoso ni dolor alguno, estando bajo tu sombra y amparo. Y pues que en admirable imagen has querido quedarte con nosotros, Tú, que eres nuestra madre, nuestra salud y vida, estando en tu regazo maternal y corriendo en todo por tu cuenta, no necesitamos ya de ninguna otra cosa. No deseches, ¡Oh, Santa Madre de Dios! Nuestras súplicas, antes bien, inclina a ellas tus oídos compasivos y escúchanos favorablemente. Amén.

Trescientos días de indulgencia cada vez que se rece esta oración, con el corazón contrito. Indulgencia plenaria habiéndola rezado todos los días, durante un mes, con las condiciones acostumbradas de Confesión, Comunión y Visita.

Recomendamos a todos los fieles, el rezo de esta oración cada día, desde el 12 de noviembre al 12 de diciembre, añadiendo cuatro Salves en memoria y agradecimiento de las cuatro principales Apariciones para obtener el remedio de las necesidades presentes. Por el rezo de las cuatro Salves, concedemos cuatro días de Indulgencia.

Oración a la Santísima Trinidad

El Hijo me guíe, el Padre me guarde, el Espíritu Santo conmigo ande, ... con quien estás es con las Tres Divinas Personas y con la Santísima Trinidad. Con la gracia de la Virgen seas bendecido, con su divino manto seas tapado, con la túnica del Señor seas envuelto; que no seas herido, preso, ni muerto, ni atropellado. Dios delante, yo detrás de Él, Dios conmigo y yo con Él. El Gran Poder de Dios me valga la fortaleza de mi Señor Jesucristo y me acompañe y la consagración de la Santísima Trinidad sea conmigo. Jesucristo Salvador del Mundo, desecha las ideas de mis enemigos y desechadme las sendas del mal y conducidme por la senda del bien con Dios Padre, con Dios Hijo y con Dios el Espíritu Santo. Amén.

Oración a las Benditas Ánimas del Purgatorio

Divino Glorificador de las Almas, que concluidos los dolores, tormentos y penas de la Cruz, estando ya para expirar y en las últimas agonías de la muerte, esforzando la voz dijisteis a vuestro Eterno Padre en la séptima y última palabra: "En tus manos, Señor, encomiendo mi espíritu" e inclinando la cabeza expirasteis y os manifestasteis después en el seno de Abraham para glorificar con vuestra Divina Presencia las Santas Almas por el dolor de los dolores que penetró al corazón de vuestra Soberana Madre, al ver apagada la luz de vuestros ojos con la muerte, os encomendamos, Señor, las santas almas, para que concluidos y acabados ya recibáis en vuestra divina presencia en el Cielo y a los que tantas veces han intentado quitaros la vida con sus culpas, haced, piadosísimo Señor, que verdaderamente arrepentidos digan en la hora de su muerte: "En tus manos, Señor, encomiendo mi espíritu"; y logre yo Señor, lo que os pido, en esta Oración si ha de ser a mayor honra vuestra y glorificación de mi alma. Amén.

Oración a las Once Mil Vírgenes

Santísima Madre Inmaculada de la Luz y las milagrosas Once Mil Vírgenes, yo ...., postrado delante del trono de vuestra clemencia y confuso por mis muchos y gravísimos pecados, con sumo dolor mi corazón, todos los detesto, porque con ellos ofendí a tu Santísimo Hijo Dios y Señor mío amabilísimo, a quien amo sobre todas las cosas y estoy resuelto a morir antes de volverte a ofender, como el más ínfimo de tus esclavos y de tus hijos, debajo del manto de tu Patrocinio y en el seno dulcísimo de tu maternal amor. Porque yo, Señora mía y Madre Benignísima, todo me doy, entrego y dedico a ti por esclavo e hijo, ahora y siempre y por toda la eternidad, y te doy humildes gracias por los beneficios que he recibido, y por males y peligros de que he sido librado por favor de tu misericordia y de las Once Mil Vírgenes que te acompañan. Haz, Señora mía, te ruego por el amor que tienes a tu Dulcísimo Hijo, que todos mis pensamientos, palabras y obras, todas mis adversidades y trabajos y toda mi vida y muerte sean siempre dirigidas por los méritos e intercesión según el beneplácito de Dios, y su mayor Gloria y a tu honor y obsequio y bien de mi alma. Amén.

Oración a las Tres Virtudes Teologales: Fe, Esperanza y Caridad

¡Oh, Dios Omnipotente!, Padre de todo lo Existente. Bondadoso, Magnánimo, haz que la Fe nunca se aparte de mí, para poder amarte y quererte. ¡Oh, Cristo, Hijo de Dios! Redentor de la Humanidad y Ejemplo de Mansedumbre y Humildad, infiltra en mi ánimo la energía suficiente para que la Esperanza sea el bálsamo confortable que me ayude a cumplir dignamente el destino de mi vida. ¡Oh, Santísima Madre de Cristo! Reina de los Cielos y dechado de pureza y de virtud, Tú que prodigaste a manos llenas la Caridad entre todos los necesitados, dígnate llevar a mi corazón el reflejo de tu radiosa intervención para que pueda repartir también entre los que lo necesitan, algo de lo material en la parte que yo pueda. Y todas estas virtudes de: Fe, Esperanza y Caridad, reverentemente ejercitadas, suplico me concedan lo que pido en esta oración, si es para mi bien y no lo consigo, yo mismo las seguiré practicando hasta la hora de mi muerte. Amén.

Oración a Nuestra
Señora de las Mercedes

Santísima Virgen María de la Merced, Madre de Dios y por esta augusta cualidad, digna de los más profundos respectos de los ángeles y de los hombres. Hoy como a uno de vuestros hijos y confieso que sabéis Señora desde mi tierna infancia os he tenido como madre, abogada y patrona mía, desde entonces me habéis mirado por vuestras manos e intercesión, me han venido todas las gracias que he recibido de homenajes y a implorar el socorro de vuestra misericordiosa protección; sois poderosa para con vuestro Hijo preciosísimo, el deseo que tengo de seros fiel durante el curso de mi vida para después de ella merezca veros y gozaros en la eterna felicidad con este indigno hijo vuestro, y vengo a tributaros rendidos mis humildes oraciones a ti mi Dios, continuad pues vuestra misericordia de la gloria. Amén.

Oración a Nuestra
Señora de los Desamparados

¡Oh! Soberana Reina, cuánto se complace mi alma en la grandeza de vuestro poder y elevación, aunque indigno vasallo vuestro por haber merecido tantas veces la indignación de vuestro hijo, mi redentor, por mis culpas y pecados, recibidme bajo vuestro amparo y protección, que vos sois la firme áncora de mi esperanza en los peligros y contratiempos de la vida. Alcanzadme gracias para que de ahora en adelante mi corazón os rinda un devoto cumplimiento a vuestras virtudes excelsas, seré atento y puntual reconociendo las divinas leyes que rigen los destinos de la vida eterna. Yo juro a Dios y una Santa Cruz que tienes que andar detrás de mí como los vivos detrás de la Cruz y los muertos detrás de la luz. Tres Padre Nuestro al Espíritu Intranquilo para que me conceda lo que he pedido. Quiero que se borren de mi alma las culpas pasadas y que consiga lo que más convenga para la tranquilidad y felicidad en los senderos augustos de la eternidad. Amén

Rezar tres veces cada día la salutación del Ave María en memoria de las tres horas que estuvo la soberana madre al pie de la Cruz, sufriendo por el martirio que padecía su precioso Hijo, para que se digne asistirnos en todos los momentos y principalmente a la hora de nuestra muerte. Después se hará una sola vez al día.

Oración a
Nuestra Señora del Carmen

Jesucristo, Salvador del Mundo, Hijo de la Virgen Santa María, Purísima y Beatísima Señora que pariste sin dolores, ruega por mí, vuestro Hijo que me libre de adversidades y peligros de la vida, pues eres más hermosa que todas las mujeres y que las flores y caña de ángeles; ayúdame, coróname, fuente de misericordia, templo de Dios, sagrario del Espíritu Santo, y alcánzame las gracias de vuestro Hijo generoso para que me perdone mis pecados y traiga a mi alma la verdadera penitencia. Interceded por mí, Virgen Madre de Dios, para que los patriarcas, profetas, querubines, serafines, y todos los espíritus celestiales junto con los ángeles derramen en mi alma las maravillas de vuestro preciosísimo Hijo, a quien encomiendo mi alma para que desde esta vida vaya a gozar de las delicias de la gloria eterna. Amén.

Jesús, María y José, Joaquín y Ana, a quienes encomiendo mi alma. Esta imagen es una gran Protectora, pero hay que ser fiel a su sagrado principio.

Oración a San Alejo

¡Oh, glorioso San Alejo mío! Tú que tienes el poder de alejar todo lo malo que rodea a los escogidos del Señor, te pido que alejes de mí a mis enemigos. Aléjame de Satanás, aléjame del mentiroso y hechicero, así como también del pecado y por último, aleja al que viniera a mí para hacerme daño. Ponme tan lejos de los malos que jamás me vean. Así sea. Aleja los malos pensamientos, aleja los insensatos que quieren hacerme mal. Acércame al Señor para que con su divina gracia me cubra de todo lo bueno y me reserve un puesto a la sombra del Espíritu Santo. Amén, Jesús.

Esta oración es para fines de mayor ansiedad, por ejemplo: para alejar toda mala tentación que posea uno contra otro, para alejar los malos pensamientos que irradie cualquier espíritu atrasado surgiendo a uno el odio contra otro hermano de la Tierra. Antes de hacer esta oración, pida a Dios que ilumine su pensamiento para que tenga éxito.

Oración a San Antonio

¡Oh, San Antonio!, Santo de los Milagros, Santo de la Ayuda, necesito tu ayuda, tengo necesidad de este favor (*pida lo que se desea*). Llevo en mis manos una imagen con tu ilustre nombre y acudo a Ti para hacerme justicia a toda hora. Así que consuélame en esta necesidad, concédeme esta ayuda con toda confianza. Amén.

Dios, que la solemnidad votiva de San Antonio, tu Confesor y Doctor, le dé alegría a tu Iglesia. Que por su intercesión siempre estemos protegidos por tu ayuda espiritual y que siempre merezcamos alegría eterna.

Haga su petición y persígnese

Oración a San Carlos Barromeo

Omnipotente y Misericordioso Dios que concedisteis en vuestra piedad al mundo que, cual un ángel de ardiente caridad, viniese a consolarlo vuestro bienaventurado siervo San Carlos Barromeo y a edificarlo con sus grandes virtudes, siendo el modelo de los prelados en la Iglesia de Milán, el honor del Episcopado del siglo XVI y la gloria de toda la Italia; dadnos vuestra divina gracia para que podamos dignamente y con fruto meditar las virtudes de este gran Santo, tan querido por Vos, y por cuya poderosa intercesión esperamos nos otorguéis lo que os pedimos por medio de esta Santa Oración, si ha de ser para bien y salvación de nuestras almas, mayor honra y gloria vuestra, sometiéndonos desde luego a vuestra divina voluntad, según la cual proponemos vivir y morir, para conseguir así nuestra eterna bienaventuranza. Amén.

Se rezarán tres Padre Nuestro y tres Ave María en honor al Santo; luego levantando fervorosamente nuestro corazón a Dios, pediremos lo que deseamos obtener por esta santa oración.

Oración a San Gabriel

Gloriosísimo Príncipe de la Corte del Cielo y Excelentísimo San Gabriel, primer ministro de Dios, amigo de Jesucristo y muy favorecido de su Santísima Madre, defensor de la iglesia y abogado de los hombres, pues tanto favorecéis a vuestros devotos, haced que yo sepa amar y servir, alcanzadme Señor lo que deseo y pido en esta oración, a mayor honra y gloria suya y provecho de mi Alma.

Aquí, con la mayor confianza y devoción que se pueda pedir cada uno al Santo la gracia que se desea alcanzar en esta oración.

Oración a San José

Castísimo José, honra de los patriarcas, varón según el corazón de Dios, cabeza de la Sagrada Familia, ejecutor de los inefables designios de la Sabiduría y Misericordia infinita. Padre putativo de Jesús y Esposo dichosísimo de María. ¡Cuánto me regocijo de veros elevado a tan alta dignidad y adornado de las heroicas virtudes que requiere! ¡Por los dulces abrazos y suavísimos ósculos que disteis al Niño Dios, os suplico me admitáis desde este punto en el dichoso número de vuestros esclavos! Proteged a las vírgenes, ¡Oh! Tutor de la virginidad de María y alcanzadnos la gracia de conservar sin mancilla la pureza de cuerpo y alma, apiadaos de los pobres y afligidos y, por aquella extremada pobreza, por aquellos sudores y congojas que padecéis por sustentar y salvar al Creador y Salvador del Universo, dadnos el alimento corporal y haced, llevando con paciencia los trabajos de esta vida, que atesoremos riquezas infinitas para la eternidad.

Sed el amparo de los casados ¡Oh!, Patriarca dichoso y haced que los padres y madres sean la imagen de vuestras virtudes y perfectísimo dechado de piedad a sus hijos. Proteged a los sacerdotes y a los institutos religiosos y haced que, imitando vuestra vida interior, lleven los cargos de su ministerio con la perfección con la que cumplisteis las obligaciones de vuestro estado. Llenadnos en vida de copiosas bendiciones y, en el trance de la muerte, cuando el Infierno haga el último esfuerzo para perdernos, no nos desamparéis. Poderoso abogado de los que están agonizando; ya que tuvisteis la dicha de morir en los brazos de Jesús y María, permitid que expiremos embriagados de un vino de dolor por nuestros pecados y pronunciando con ferviente afecto los dulcísimos nombres de Jesús, María y José.

Oración a San Pedro Apóstol

Glorioso Príncipe de los Apóstoles a quien nuestro Señor Jesucristo concedió la inmensa prerrogativa de comunicarle primero su Voz, después de su Resurrección Gloriosa. Prerrogativa que había merecido vuestra penitencia por la debilidad que tuviste negando a nuestro gran maestro tres veces. Os suplicamos nos concedáis la gracia de que el Señor se digne hacernos, ya por los movimientos interiores de nuestra conciencia a pesar de nuestros pecados y de no haber hecho, cual vos, penitencia y llorando amargamente nuestras culpas, concedednos glorioso San Pedro esta gracia para que purificándose en nuestras almas por medio de un verdadero dolor y arrepentimiento de haberte ofendido. Sólo pedimos merecer por vuestra intervención la eterna bienaventuranza. Amén.

Oración a San Juan Bautista

Gloriosísimo San Juan Bautista: precursor de mi Señor Jesucristo, lucero hermoso del mejor sol, trompeta del Cielo, voz del verbo eterno, pues sois el mayor de los santos y alférez del Rey de la Gloria; más hijo de la gracia que la naturaleza, y por todas las razones, príncipe poderosísimo en el Cielo, alcanzadme el favor que os pido y si no, una perfecta resignación, con abundante gracia, que haciéndome amigo de Dios, me asegure de las felicidades eternas de la Gloria. Amén.

Se reza un Padre Nuestro, un Ave María con Gloria Patri, un Credo y una Salve.

Oración al
Glorioso Arcángel San Miguel

Gloriosísimo Señor San Miguel Arcángel, tan especialmente favorecido de Dios Nuestro Señor, elegido y destinado para guardar y proteger a la Santa Iglesia Católica, mayor bien y salvación de las almas, los que por la Divina Misericordia tenemos la gran dicha de vivir en su santo gremio, en cuya sagrada creencia y fe protestamos y deseamos vivir y morir humildemente te suplicamos mires por nuestra patria que tan católica es y con tantas veras ha servido a la Iglesia de Cristo que tu defiendes y amparas; suplicámoste que, pues eres capitán de los ejércitos, que la defiendas de sus enemigos y como ángel de la paz, la reduzcas a concordia y unión, y como justicia mayor de Dios, juez de las almas, la conserves en justicia y equidad. A Ti te escogió el Señor para echar los rebeldes del Cielo, a Ti acudimos para que reduzcas los rebeldes de esta tierra y sosiegues sus alteraciones. Tú detuviste en pie la República de los Ángeles, repara también y conserva la nuestra. Tú limpiaste el Cielo de pecados, libra de ellos a nuestra patria. A Ti nos dio el Señor por Patrono Universal de todos los fieles y a Ti acudimos como protector singular, y esperamos de ti muy particular protección. En tu día, la isla abjuró la herejía de los aborígenes y recibió la fe católica; suplicámoste conserves sus provincias en toda pureza de fe y no permitas que entre en ellas la herejía o semilla de mala doctrina sino que, conservando la verdadera fe, la comuniques como has hecho a otras naciones y así tenga paz entre sus secciones, obedeciendo a Dios y a las cosas divinas. Esto te suplicamos por el amor que tienes a Jesucristo y celo de la exaltación de su Iglesia. Amén.

Varios señores obispos han concedido 40 días de indulgencia a los que digan con devoción esta oración y a los que la propaguen.

Oración a Santa Clara

Gloriosísima Virgen y dignísima madre Santa Clara, espejo clarísimo de santidad y pureza, base firme de la más viva fe, incendio de perfecta caridad y erario riquísimo de todas las virtudes. Por todos estos favores con que el Divino Esposo os colmó, y por la especial prerrogativa de haber hecho a vuestra alma trono de su infinita grandeza, alcánzanos de tu inmensa piedad, que limpie nuestras almas de las manchas y de las culpas y destituidas de todo efecto terreno, sean templo digno de su habitación. También te suplicamos por la paz y tranquilidad de la Iglesia, para que se conserve siempre en la unidad de fe, de santidad, de costumbres que la hacen incontrastable a los esfuerzos de sus enemigos, y si fuese para mayor gloria de Dios y bien espiritual mío cuanto pido por esta oración, vos, como Madre y Protectora, presentad mis deseos en el despacho Divino, pues yo confío en la bondad infinita que por vuestros méritos alcanzaré para su mayor honra y gloria. Amén, Jesús.

Oración a Santa Ana

¡Oh!, bendita y gloriosa Ana de Bersabé de Judea, esposa fiel y amantísima de San Joaquín y quien por tu humildad y estricto cumplimiento a la Ley promulgada por Dios a Moisés en el Monte Sinaí, fuiste la elegida en las primicias de tu vejez para ser madre de la más pura y bendita de todas las mujeres, quien había de ser Madre del Redentor del Mundo. ¡Oh!, gloriosísima Santa, abuela de Jesucristo, a Ti clamo y a Ti ruego para que así como tu súplica fue atendida por Dios para satisfacción tuya y de tu Santo Esposo, intercedas por mí que también me encuentro rodeando de deudas y miserias, agobiado por incertidumbre y tribulación.

Se empieza y se acaba invocando la Santísima Trinidad. Se repite tres veces. Haga su petición. Persígnese.

Oración a Santa Bárbara

¡Oh, Dios! Aparta de mi lado esos seres malvados y miserables que acechan, acudo a Ti, Santa Bárbara para que los confundas, apártalos de mí y a Ti aclamo con fe y te entrego mi vida, Tú la sublime protectora y generosa cristiana que abres tu pecho para los buenos seres, en él entro y de él saldré con la sangre de tu corazón para librarme de ellos, y no permitas que interrumpan mi marcha cristiana y si persisten, el Infierno sea el castigo como pago a sus maldades y líbrame de todo mal. Amén.

Al terminar esta oración los martes y viernes, se rezarán tres Padre Nuestro y tres Ave María, haciéndose tres veces.

Oración a Santa Rita de Casia

Dios te Salve, gloriosa Santa Rita, cuyo nacimiento fue presagio de futura santidad y cuyo nombre, revelado por el Cielo, significa rectitud, porque ésta fue siempre la norma de tu vida. Alcanzadnos al Señor que gozaremos la dulzura de sus palabras y que a tu imitación corramos con pie seguro por la senda de sus divinos preceptos, que es la única que conduce a la suprema felicidad, Amén. Si al poder de tu oración, del odio y rencor monstruoso líbrenos tu protección. Hasta lo imposible cede, por nosotros intercede, en esta tribulación. Eres perfecto ejemplar de inocencia y de virtud y por esa rectitud, quiere tu nombre indicar, tú me alientas a marchar por sendas de perfección. Cándida abeja labrará en tu boca angelical de miel sabroso panal, de tu candor señal rara. Si tus huellas yo pisara ¡oh, cuán rico galardón! Aceptas el matrimonio por méritos de obediencia y das de santa paciencia revelante testimonio. En vano intenta el Demonio dominar tu corazón. Al que matara a tu esposo y generosa perdonaste y a tus hijos separaste, de crimen tan horroroso. Pero si encuentras cerrada, del monasterio la puerta, por Dios la miras abierta, dándote fácil entrada, huye el alma contristada, la mundana seducción. Punzante espina tu frente, penetra Rita, endiosada, dávida muy renombrada de Jesús, esposo ardiente, gravado en mi pecho ardiente el sello de su pasión. Al Augusto Sacramento con gran fervor recibías, y cuerpo y alma nutrías con tan divino alimento; sea siempre mi sustento la Sagrada Comunión. Eres, Rita, mujer fuerte, en tu divina Portentosa, y en gracias maravillosas. Tras plácida y santa muerte, por ti logramos la suerte de estar contigo en Sión.

Ofrecemos a Dios un Padre Nuestro por las virtudes con que adornó a Santa Rita en los cuatro estados de su vida, para que se digne concedernos las que más necesitamos en el nuestro respectivo.

Oración a Santa Lucía

Especial abogada de los ojos

Gloriosa Virgen y Mártir Santa Lucía, a quien previno el Señor desde la tierna infancia con las bendiciones de su gracia eligiéndose al Eterno Padre por digna hija suya, el hijo soberano por esposa amada y el Espíritu soberano por su agradable habitación, suplico Santa Lucía me alcancéis de la beatísima Trinidad un fervor devoto, y así como vuestra dichosa alma empezó a servir a Dios inflamada de los ardores de su amor, no desistiendo de tan noble empeño, hasta llegar a poseerle laureada de las dos coronas de Virgen y Mártir, así consiga yo mediante vuestra intercesión poderosa, un verdadero amor suyo, para que amándole y sirviéndole en esta vida logre después verle gozar con la eterna bienaventuranza. Amén.

Con vuestros ojos preciosos, amparadnos, Virgen bella, pues que Dios, sacra doncella, quiso fuesen belicosos. Lucía, si en la conquista del Cielo tuviste gozo, alcanzad de vuestro esposo, nos quiera guardar la vista.

Ahora para alcanzar la gracia que se pide se dicen tres Padre Nuestro y tres Ave María.

Oración a Santa Rosa de Lima

¡Oh! Fragantísima Rosa de Santa María, que estáis plantada en los jardines del Cielo, honra y gloria de vuestro pueblo, alegría del mundo: gracias hacemos a la Majestad Divina por la admirable pureza con que os hermosea, por la invencible paciencia con que os fortaleció, por las heroicas virtudes con que os adornó y por el encendido fuego de amor en que os abrazó; alegraos y gozaos en los brazos de vuestro amado Jesús. ¡Oh, dichosísima esposa de su corazón, bebed en su dulce costado las abundantes delicias que corresponden a vuestro asombroso padecer! Y cuando así gozaréis, acordaos de nosotros, repartiéndonos del incendio de vuestro amor una centella que nos haga morir por Jesús, María y José, acordaos que sois la elegida para patrona de un mundo, y que cuidó de vos Jesús, porque vos tuvisteis cuidado de nosotros. Alcanzadnos, ¡oh! Rosa apacible, gran humildad ¡oh! blanca azucena, gran cantidad, el favor que te pedimos en esta oración para que merezcamos ser olor agradable a vuestro divino esposo, siervos verdaderos de María y de José y eternos compañeros vuestros en la gloria. Amén.

Recomiéndase usar una imágen de Santa Rosa de Lima durante el rezo de esta oración.

Oración al
Sagrado Corazón de Jesús

Señor Jesucristo que dijiste, "pedid y recibiréis, buscad y hallaréis" mírame postrado a tus divinos pies con una fe viva y llena de confianza en estas promesas, dictadas por tu Sagrado Corazón y pronunciadas por tu labios adorables. Vengo a suplicaros (*aquí se pide la gracia que se desee*). ¿A quién puedo dirigirme si no a Vos, cuyo corazón es una fuente inagotable de toda clase de gracias y méritos? ¿Dónde buscaré, si no en el tesoro que contiene la riqueza de vuestra clemencia y generosidad? ¿Dónde llamar si no a la puerta por donde vamos a Dios? A Ti, pues, ¡Oh! Divino Corazón de Jesús recurro, en Ti encuentro consuelo en mis aflicciones, protección cuando soy perseguido, fuerzas cuando estoy abatido con grandes pruebas y luz en mis dudas y tinieblas. Creo firmemente, Jesús mío, que puedes derramar sobre mí la gracia que imploro, aunque para esto fuere necesario un milagro. Sólo tienes que desearlo y mi ruego será concebido. Reconozco, Jesús mío, que no soy digno de tus favores, pero esto no es motivo para desanimarme. Tú eres el Dios de las compasiones y no rechazarás el corazón contrito y humillado que llegue a Ti con confianza. Yo imploro de tu compasivo Corazón que encuentres en mis miserias y flaquezas un motivo justificado para concederme mi petición. ¡Oh! Sagrado Corazón de Jesús, cualquiera que sea vuestra decisión con referencia a mi súplica, nunca cesaré de adorarte, alabarte, amarte y servirte toda mi vida. Sírvete Señor, acepta este acto de perfecta sumisión a los decretos de vuestro adorable Corazón, el cual deseo sinceramente ver obedecido y honrado por mí y por todas las criaturas. Amén.

Oración al Santo Cristo de la Salud

¡Oh, Dulcísimo Jesús Crucificado, Hijo Unigénito del Eterno Padre y de la Inmaculada Virgen María! Como pobre vengo a Vos, que sois misericordiosísimo, como criatura enferma, a Vos, que sois el médico verdad y el único dador de la salud, pues eso significa vuestro sacrosanto nombre Jesús. No permitáis Señor, que yo me aparte de vuestros pies sin consuelo ni remedio, concededme lo que humildemente os pido por vuestro adorable Corazón y el de vuestra amante Madre; no atendáis a mis culpas que os obligarán a abandonarme, atended a vuestros méritos, que así me haréis merecedor. Con estos, pues, supremos méritos vuestros, junto mis deprecaciones, esperando conseguir por ellos lo que por los míos nunca podré alcanzar. Y desde ahora para siempre os doy las debidas gracias, el buen despacho que confía he de obtener de vuestra misericordia, la cual sea alabada eternamente. Amén.

Oración del Justo Juez

Santísimo Justo Juez, Hijo de Santa María, que mi cuerpo no se asombre, ni mi sangre sea vertida donde quiera que vaya y venga, las manos del Señor delante las tenga; las de mi Señor San Andrés, antes y después, las de mi Señor San Blas, delante y detrás; las de la Señora Virgen María, que vayan y vengan; mis enemigos salgan con ojos y no me vean, con armas y no me ofendan, justicia y no me prendan, con el paño de nuestro Señor Jesucristo envuelto sea mi cuerpo, que no sea herido ni preso, ni a la vergüenza de la cárcel puesto. Si en este día hubiese alguna sentencia en contra mía, que se revoque por la bendición del Padre, del Hijo y del Espíritu Santo. Amén.

La compañía de Dios sea conmigo y el manto de Santa María, su Madre, me cobije y de malos peligros me defienda. Ave María, Gracia Plena, *Dominus Tecum*, me libre de todo espíritu maligno bautizado y por bautizar. Cristo vence, Cristo reina, Cristo de todos los malos peligros me defienda. El Señor y justo individual Hijo de Santa María Virgen, aquel que nació en aquel solemne día, que no pueda ser muerto ni me quieran mal.

Oración del Justo Juez para Mujer

La santa compañía de Dios me acompaña y el manto de Santa María, su Madre, me cobije y de malos peligros me defienda. Ave María, gracia plena *Dominus* me cumpla, me libre de todos espíritus bautizados y sin bautizar, Cristo reina, Cristo de malos peligros me defienda, el Señor y Justo individual, Hijo de Santa María Virgen, aquel que nació en solemne día, que no pueda yo ser muerta ni me quieran mal. Tengan ojos y no me vean, manos y no me toquen, hierro y no me hieran, nudos y no me aten. Dios le dijo a Libón que con tres nueces no pudieran hacerme daño, ni a ti ni a ninguna persona que la trajera consigo y te defendiere aunque no lo digas, Amén, Jesús, María y José, *Dominus tecum berrum carrum*. Santa María piadosísima, Madre de Nuestro Señor Jesucristo, al Monte Tartario entraste, la gran serpiente encontraste, sin la singular la ataste, con hisopo de agua bendita la rociaste, al mundo la sacaste, ablándale el corazón a mis enemigos, que ojos tengan y no me vean, pies y no me pisen, manos y no me toquen, hierros y no me hieran, nudos y no me aten, por las tres espadas de San Julián sean vencidos, con la leche de la Virgen sean rociados, en el Santo Sepulcro sean sepultados. Amén, Jesús, María y José, tres Padre Nuestro a la Muerte y Pasión de nuestro Señor Jesucristo, esta es la oración de la Santa Camisa, la del Hijo de Dios vivo, la que me pongo en contra de mis enemigos, tengan ojos no me vean, pies y no me alcancen, manos y no me toquen, hierro y no me hieran, nudos y no me aten, por las tres coronas del Patriarca San Abraham, aquí ofrezco una oración en unión con mi persona, que vengan mis enemigos tan mansos a mí, como fue nuestro Señor Jesucristo con el madero a la Cruz. San Idelfonso bendito confesor de Nuestro Señor Jesucristo, que bendeciste la Hostia y el Cáliz en el altar Mayor, alrededor, líbrame de brujos, hechiceros y personas de malignas intenciones, con tres te mido, con tres te parto, con la gracia de Dios y el Espíritu Santo. Amén, Jesús, María y José.

Ésta es la verdadera y legítima Oración del Justo Juez, habiendo sido bendecida en la Capilla del Templo de Nuestra Señora de la Caridad de Cobre, Santiago de Cuba por el Padre Gerardo.

Oración de los Tres Clavos

Los Tres Clavos y la Cruz vayan delante de mí, Jesucristo murió en ella. Respondan y hablen por mí y ablanden los corazones de los que sufren en contra mía. Amén.

Hágase esta oración al salir de su hogar, pida con mucha fe y conseguirá lo que desea.

Oración del
Milagrosísimo Niño de Atocha

Sapientísimo Niño de Atocha, general protector de todos los hombres, general amparo de desvalidos, médico
divino de cualquier enfermedad. Poderosísimo Niño, yo
te saludo, yo te alabo en este día y te ofrezco estos tres
Padre Nuestro, Ave María con Gloria Patri en memoria
de aquella jornada que hiciste encarnado en las purísimas entrañas de tu amabilísima madre, desde aquella
ciudad santa de Jerusalén, hasta llegar a Belén.

Por cuyos recuerdos que hago en este día, te suplico
me concedas lo que te pido, para lo cual interpongo estos méritos y los acompaño con los del coro de los
Querubines y Serafines, que están adornados de perfec-
tísima sabiduría, por los cuales espero, Preciosísimo Niño
de Atocha, feliz despacho en lo que te ruego y pretendo,
y estoy cierto que no saldré desconsolado de ti y lograré

una buena muerte para llegar a acompañarte en Belén de la Gloria. Amén.

Aquí se hace la petición y se rezan tres Padre Nuestro y Ave María con Gloria Patri.

Oración del Necesitado

¡Oh! Señor Todopoderoso y Supremo Hacedor del Universo, perdona este mortal si en algo ha faltado ignorantemente y Tú que todo lo ves, lo oyes y lo aprecias, por tu infinita sabiduría mira las necesidades en que hoy me encuentro y ayúdame a conseguir el pan de cada día, por medio del honroso trabajo o de alguna manera que mi conciencia no se cargue ni tenga que arrepentirme de mi proceder. Escucha mi ruego, ¡Oh! Señor, que te hago de corazón, con el deseo de no faltar a mis deberes contraídos y haz que igualmente cumplan conmigo las personas que para mí los tengan, tanto materiales como morales, y ayúdame a obtener el trabajo que necesite para el sustento de mi familia o ilumíname algún medio para alcanzar el pan de cada día o para poder realizar la idea que llevo si fuere no solamente para mi bien, sino para bien de la humanidad viviente. Dame fuerzas para poder seguir soportando estas pruebas que agobian mi cuerpo y menoscaban mi espíritu, no por orgullo, Señor, si no para que mi misión sea más pasable y pueda tolerar asimismo las imprecaciones y desavenencias de los seres que me rodean y continuar mi derrotero sin tener que recurrir a nada que pueda afectar mi integridad personal, ni perjudique mi existencia presente, ni labre un retroceso para el futuro. Gracias te doy, Señor, por tu bondad infinita, porque de tu misericordia no puede dudarse y sé que me ayudarás a la realización de mi idea o a la adquisición del trabajo que necesito.

Oración del Trabajador

Jesús, María y José, al levantarme te pido trabajo, salud y progreso. José labrador, acompáñame donde voy a ganar mi pan con el sudor de mi frente, los tres ángeles de Jesús me acompañen, los siete abogados del trono de Jesús vayan conmigo, que hablen por mí donde voy a solicitar. San Joaquín, San Pablo, San Miguel, invoco también y estos siete Credos que rezo me ayuden por Jesús, María y José. ¡Oh, Dios mío, dame pan si lo merezco, si no, sea tu voluntad la que decida mi suerte! Oh, Padre mío, si yo he negado pan a mi hermano habiendo tenido oportunidad de darle, sea por trabajo o por caridad, perdóname mi ignorancia al haber faltado a tu Ley.

Rece tres Padre Nuestro y tres Ave María.

Oración para dirigirse al Ángel Guardián

Espíritu protector que velas por mí incesantemente, Tú que tienes esta misión, ya por el placer de hacer el bien, ya para progreso y purificación de tu espíritu, sálvame. Durante la noche, mi espíritu va a encontrarse en lo desconocido, llévame donde mis seres amados, amigos, familiares o que quieran ayudarme con sus consejos y lecciones para resolver el problema de mi vida. Sugiere a mi imaginación las revelaciones que debo poner en práctica mañana. Haz que tome fuerza en la contemplación de la naturaleza y levante mi espíritu atribulado de las nuevas luchas que ha sostenido y ha hecho desvanecer mis esperanzas.

Quince minutos en compañía de Jesús Sacramentado

Santísimo Sacramento, Rey de la Justicia Divina, aquí vengo Padre Mío a rogarte mi salud y la de mi familia y la de los que me rodean. Concédeme también, Padre Mío, la mejor suerte en tu gobierno. ¡Ven a visitarme!, hasta que la mala suerte que yo tengo, enfermedades, contrariedades, las malas horas y las personas que mal nos quieran, se alejen bien lejos de nosotros. Santísimo Sacramento, Divina Majestad, Tú que el ser nos diste, vengo a suplicarte y a pedirte buena suerte en mis negocios, a fin de que pueda verme libre de mis necesidades y compromisos que hoy me agobian, prometiéndote siempre que pueda favorecer a mis prójimos en sus necesidades y mándame la paz en mi hogar.

Se reza un Credo. Esta oración se reza a las 12 ó 15 horas los jueves o viernes, donde esté el Santísimo.

Jesucristo sangriento, llagado y ensangrentado, échame tu Cruz y brazos sobre mí para que mis enemigos no se venguen de mí.

Un Credo al gran poder de Dios.

Jesucristo vencedor, que en la Cruz todo venciste, Señor, esta peste, por la muerte que sufriste, la peste de cuerpo y alma, te pido que se acabe, poniendo de intercesora a tu Santísima Madre .

Un Credo al gran poder y una Salve a la Virgen María.

Exhortación a todos a llevar esta Santa Bendición porque se sabe, por experiencia, que es maravillosísima contra los demonios, tentaciones, rayos, pestes, mal de corazón, peligros del mar, asechanzas de enemigos, tempestades, incendios, dolores de parto, calenturas, muertes repentinas y demás males y peligros. También tiene especial virtud para conservar a quien la lleve consigo en la gracia de Dios. ¡El Señor haga de ti misericordia y te dé paz! ¡El Señor dé a ti su Santa Bendición!

Viva la Virgen de la Caridad del Cobre

Esta oración es copia de la que dejó la Virgen de la Caridad del Cobre para las mujeres cuando los tres Juanes navegaban por el mar, vino una tormenta de agua y los viró y se estaban ahogando, y como eran devotos de la Virgen de la Caridad y la llevaron en una reliquia en el cuello, cuando se vieron perdidos llamaron por ella y se les apareció en cama y los salvó a los tres, a Juan Odio, a Juan Indio y a Juan Esclavo, luego de haberlos puesto en salvo les dijo estas palabras: "Sabed, mis queridos hijos, que soy la Reina Madre de Dios Todopoderoso y los que crean en mi gran poder y sean devotos míos siempre conservarán mi estampa en una reliquia para que les acompañe y con ésta, estarán libres de todas las cosas malas, estarán libres de toda muerte repentina... no podrá morderle ningún perro con rabia ni ningún animal malo... estarán libres de accidentes y, aunque una mujer esté sola, no tendrá miedo a nadie porque nunca verá visiones de ningún muerto ni cosas malas, diciendo esto: 'La Caridad me acompaña y su Amén Jesús'". Y luego, a Juan Esclavo: "Juan, aquí dejo Hijo... con los Santos

Evangelios y la Cruz en que murió, esta oración para cuando una mujer esté de parto y se halle afligida por los dolores tan fuertes que siente en su corazón y que un mal parto trae malas resultas, hasta perder la vida, que ponga esta oración sobre el vientre, haciendo la señal de la Cruz, en memoria de los siete dolores que yo tuve tan fuertes y que desde lo alto del Cielo alcanzará la bendición de Dios y una Salve a la Santísima Virgen de la Caridad, parirá su hijo sin peligro". Amén, Jesús.

Oración y Rezo
de los Doce Santos Auxiliares

Humildes y misericordiosos Santos Auxiliares, consejeros y ministros de este mundo bajo la suprema autoridad del Padre Eterno, Dios e Hijo y Dios Espíritu Santo, mándanos un reflejo de luz celestial como mandaste tu gracia a aquel perverso arrepentido que dio pan a los pobres hecho carbón, como a Cipriano y a Justina por su maldad y hechicería, como a la Magdalena por su libertad, como a San Dionisio por compadecerse de Nuestro Señor en la Cruz, como a la Verónica por secar su rostro cuando Nuestro Señor Jesucristo se encontraba inválido en la Santa Cruz, espero que limpies las puertas de mi casa como las almas que van al Cielo, y entre ellas la mía, a Ti, Padre Eterno, te reconocemos y veneramos, todo enemigo visible e invisible que estorbe el paso por este camino, a donde voy a cumplir la misión de toda persona honrada, que es el plan en demanda de trabajo y el ardor de mi frente y espero en Ti, Santa Bárbara, que toda ferocidad y traición injusta que se trama contra mí, la espere en la punta de su celestial espada y aparte de mis alrededores la miseria que mis enemigos envidiosos arrojen a mis puertas para perturbar mi salud y mi buena gracia de Dios entable la gracia de San Miguel y rechace al enemigo Luzbel que siempre sucumbe debajo de sus pies, domina esa mala lengua de... como Santa María dominó las fieras, venga por este camino el Ángel de mi Guarda, Dios delante, atrás la salud, mi suerte a donde llegue con esto me bastará, si trabajo brusco, trabajo encontraré, si algo se me pierde, a San Antonio me encomendaré, que tres credos le rezaré, lo que yo desee, muy pronto lo he de ver; Padre, Hijo y Espíritu Santo, tres credos a la Santísima Trinidad y un Padre Nuestro. Amén.

Quien lleve esta oración hará lo posible por no maldecir y tendrá largo beneficio y tranquilidad en su casa.

Oración a la Santísima Virgen de Regla

Cuando necesitemos protección en nuestro trabajo,
en nuestros viajes por mar, tierra o aire, así como
en la falta de protección para nuestro empleo.
No le pidamos mal para nadie.

¡Oh, Santísima y Dulcísima Virgen María, Madre de Dios, hija del Sumo Rey y Señora de los Ángeles, Madre del Creador de todos, Reina de las misericordias, inmenso abismo de piedad!, Tú nos recibas bajo tu protección y amparo a todos los que solicitamos favor, remediando poderosa las necesidades de todos los que afligidos te invocan como lo refieren las historias y pregonan los que en todos los tiempos han implorado tu patrocinio visitando devotamente tus templos y, especialmente, el

Santuario. Imagen de Regla, en que parece has querido ostentar más tu poder y caridad, pues en este templo, y por esta, tu imagen, todos hallan su remedio y su consuelo; los navegantes en las mayores tempestades, invocándote como Señora de Regla, se libran de tan manifiesto peligro y en las navegaciones más dilatadas y peligrosas, haciendo voto a su Santuario de Regla, logran con felicidad el puerto que desean. Los perseguidos de sus enemigos se salvan por la devoción de ésta, tu imagen. Los enfermos de todas las enfermedades (hasta los deplorados ya médicos) en ésta, tu casa y por ti, sanan. Los miembros débiles e impedidos aquí cobran fuerzas y, generalmente, todos los males aquí tienen remedio, como los publican las paredes de este templo y los milagros puestos en ellas. Venerando, ¡oh Reina del Cielo! ésta, tu imagen de Regla, imploramos tu patrocinio y favor pidiéndote nos alcances de tu Hijo precioso, el consuelo de una buena conciencia, salud y fuerzas para servirte y venerarte, el remedio de nuestras necesidades y especialmente el de aquella por quien os hacemos esta Oración, esperamos Señora, por tu intercesión, conseguir lo que pedimos, aunque lo desmerecen nuestras culpas por la eficacia de tus ruegos. Amén.

Oración a San Aparicio el Beato

Ruegote, San Aparicio, que según apareció el Niño Jesús por tu poder y paciencia, hagas también que todo aquello que yo busque aparezca al invocar vuestro glorioso nombre; que todo mi bien perdido aparezca, que al pasar por algún tránsito escabroso se presente en mi compañía el Ángel de mi Guarda envidiado por Dios;

intercede por mí que al tiempo que mis labios pronuncien las tres palabras: "Aparezca" ha de aparecer. San Aparicio me lo entregue, que se descubran y desaparezcan los obstáculos que hayan ocasionado la pérdida de aquello que te encomiendo me busques, no desoigáis mis súplicas que de corazón te hago, jamás te pediré un imposible, todo será justo y que religiosamente pertenezca a mí, así es que según apareció el Niño Perdido, lo cual tú mismo lo entregaste a su legítima Madre, quiero también que lo hagas con lo que a mí me pertenece. Amén, Jesús.

Esta oración se hará tan pronto algo se pierda o quieran que aparezca. Así se pide lo que se desea. Se recomienda usar una medalla "Magistral" de San Aparicio durante el rezo de esta oración.

Oración al Ánima Sola

Oye, mortal, el lamento de un alma aprisionada, sola, triste, abandonada en este oscuro aposento. Ánima mía, Ánima de Paz y de Guerra, Ánima de Mar y de Guerra, deseo que todo lo que tengo ausente o perdido se me entregue o aparezca. ¡Oh, Ánima, la más sola y desamparada del purgatorio! Yo os acompaño en vuestro dolor, compadeciéndote al veros gemir y padecer que el abandono de esta dura y estrecha cárcel y deseo aliviaros vuestra aflicción, ofrendaos todas aquellas obras meritorias, y he pasado, paso y he de pasar en esta vida para que paguéis vuestras culpas a Dios, y alcancéis su gracia esperando me haréis el gran beneficio de pedirle que dé a mi entendimiento lo necesario para que yo cumpla su Santa Ley, amándole sobre todas las cosas como a mi único y sumo bien, a mi prójimo como a mí mismo, pues así mereceré de su Divina Majestad y misericordia infinita, mi salvación.

Cinco Padre Nuestro, Ave María y Gloria.

Oración a San Blas

¡Oh, alma alumbrada del Señor! ¡Oh, Santo pontífice y mártir, esforzado de Dios!, que hallaste delicias en la cueva, obediencia en las fieras, seguridad en los monstruos, abundancia en los desiertos y deleites en la soledad y con innumerables milagros convertiste a la fe de Jesucristo muchos gentiles y, especialmente, diste salud al que por tener atravesada una espina en la garganta se ahogaba y rogaste al Señor que oiría a todos los que en aquel o semejante trabajo te invocasen. Mira, pues, a los que con fe y devoción te llaman y pide al que te escogió y esforzó e hizo tan glorioso en el Cielo y en la Tierra que nos libre de estos males y mucho más de los pecados, terremotos y temblores para que, por tu intercesión, seamos libres de los tormentos eternos. Amén.

Se recomienda que esta oración se lleve consigo.

Oración a San Caralampio

Primer abogado contra la peste y aire contagioso

Dios, Señor Omnipotente, en cuyas manos están vida y salud de todos los hombres, por los méritos e intercesión de vuestro siervo, el Bienaventurado San Caralampio, presbítero y mártir, a quien concediste en premio de su heroica fe y constancia en defender tu santo nombre, que donde estuviesen sus reliquias o se celebrase su memoria, no habría hambre ni peste ni aire alguno contagioso. Te suplicamos humildemente, que venerando la memoria de su martirio y admirables virtudes acá en la tierra, merezcamos vernos libres de toda infección de alma y cuerpo y después gozaros en el Cielo en su compañía por los méritos de Jesucristo Señor nuestro, Hijo tuyo, que vive y reina contigo, juntamente con el Espíritu Santo, Dios por todos los siglos de los siglos, Amén.

Ruega por nosotros San Caralampio. Para que seamos dignos de las promesas que te hizo nuestro Señor Jesucristo.

Oración a San Cirio

Milagroso Médico, prodigioso Anacoreta y gloriosísimo Mártir San Cirio, pues timbres tan gloriosos dan eficacia a tu protección y patrocinio, que ninguno ha ocurrido con confianza a tu amparo sin que experimente el feliz logro de sus peticiones, alcánzame, Santo mío, pues con confianza recurro a tus aras, una ardiente y fina caridad para con Dios y una fervorosa devoción a Ti mismo para que, imitando tus excelentes virtudes, merezca tu intercesión y amparo, conseguir la perfección que me eleve a las moradas eternas de la gloria, para dar en tu compañía repetidas gracias a la Augustísima Trinidad por los dones con que liberalmente enriqueció tu celestial espíritu. Amén.

Se rezan tres Padre Nuestro y tres Ave María con Gloria Patri en reverencia de los tres atributos, médico, anacoreta y mártir, que Dios nuestro Señor concedió a San Ciro y se termina con una Salve a Nuestra Señora la Virgen María.

Oración a San Cipriano y a Santa Justina

Gloriosísimo Religioso San Cipriano y vuestra leal compañera Santa Justina, que desde vuestra niñez mereció del Señor vuestra bendita alma acostumbrarse a la delicia celestial de contemplar las perfecciones de Jesús y de María en sus santas efigies, pues así, consolabais vuestros lloros. Alcanzadme de tan piadoso Hijo y Madre, que mi alma no sepa hallar otro consuelo sino en la contemplación continua de su grandeza, a cuyo fin adjunte todos los vicios y lisonjeros placeres de este mundo y me entregue sólo a merecer sus bondades. Concededme, piadoso Cipriano, este favor y el especial que os pido en esta oración. Amén.

Se recomienda usar un dentete de San Cipriano y Santa Justina durante el rezo de esa oración.

Oración a San Cosme y San Damián
Los hermanos médicos

Santos admiradores Mártires Cosme y Damián, llenos de admirable gloria y favores de la misericordia Divina, yo os adoro en vuestras felicidades en que deseo veros por toda eternidad, coronado de gloria y continua alabanza del Señor que os honró con tanta prerrogativa gracias a ese fin, os suplico seáis poderosos intercesores con la Majestad Divina presentando mis ruegos unidos con vuestros merecimientos, y en particular, de esta oración que he hecho para que el Señor me conceda todo alivio en las necesidades espirituales y temporales y cumplido remedio de lo que padezco. Amén.

Anfitriona en los santos

Alégrense en los cielos las almas de los Justos y en particular la de los Santos Mártires Cosme y Damián, que siguieron las pisadas de Cristo y derramaron su sangre por amor, y por esta causa, consiguen gozo perdurable sin fin. Rogad por nosotros, Santos Mártires Cosme y Damián, para que seamos dignos de las promesas de Nuestro Señor Jesucristo. Amén.

Padre Nuestro, Ave María y Gloria.

Oración a San Cristóbal

Conceded a los que os invocan, glorioso mártir San Cristóbal, que sean preservados de peste, epidemia y temblores en la tierra, del rayo y de la tempestad, de incendios e inundaciones. Protegednos con vuestra intercesión durante la vida, en las calamidades que la Providencia tenga dispuestas y en la muerte libradnos de la eterna condenación, asistiendo Vos a nuestra última hora para poder alcanzar la eterna bienaventuranza. Amén.

Con esta oración conseguirá lo que usted desee y tendrá éxito. Lleve una consigo y deje una en su hogar. Hágase esta oración frente del cuadro de Santa Inés del Monte. Si no tiene, la Oveja no es legítima.

Oración a la Santa Cruz de Tenerife

¡Abrázome con Dios Padre! ¡Abrázome con Dios Hijo! ¡Abrázome con Dios Espíritu Santo! La Cruz de Jerusalén esté delante de mí. Jesucristo sea el que hable por mí. Detén, Señor, a todos mis enemigos, que vengan a mis pies, que mi Padre sea el Señor, San Pedro, San Juan Bautista y Santiago sean mis Padrinos para que me guarden todos los alrededores de mi casa y todo lo que sea de mi obligación. María Santísima, en compañía de su Madre preciosa, sean mis Madrinas para que resguarden mi cuerpo de todo peligro. Amén Jesús, María y José. Santa Elena y Santa Marta, el Ánima Sola y las Ánimas Benditas del Purgatorio me libren de malos pensamientos y de toda persona que quiera proceder de mala fe en contra mía. San Juan Nepomuceno, a vos invoco para que quebréis la lengua al que mal desea para mí. A San Rafael Arcángel, para que se digne darme salud. San Francisco de Paula, mi Señora de la Caridad, San Antonio y el Salvador del Mundo, esos sean los que me guarden, me custodien por dondequiera que yo vaya para que ninguno piense nada malo en mi contra. Amén. Jesús, María y José. El Padre Eterno y las Tres Divinas Personas sean los que me guarden de todo lo que a mi persona afecte para que yo pueda salir bien de todo lo que mi pensamiento me dicte, para que nadie me estorbe el camino por donde transite, para salir siempre franco en mis negocios y para atormentar el entendimiento al que mal desea para mí y para que todas mis intenciones me salgan como yo quiero. Amén, Jesús, María y José.

Un Padre Nuestro y Ave María.

Oración a San Deshacedor

Oh, poderoso San Deshacedor justiciero de la maldad y la codicia, hoy vengo humillado a tus pies para pedirte permiso para que, según giro esta vela, se le deshaga a mis enemigos y mis contrarios, hombre o mujer, todo lo malo que estén haciendo en contra de mí o mi cara y a todo lo que me pertenezca a mí. San Deshacedor glorioso, héroe del mal y la injusticia, quiero que como he venido yo, humillado a ti, así quiero a todos mis enemigos y contrarios en nombre del Padre, del Hijo y del Espíritu Santo. Con estas tres palabras benditas llame a mis enemigos para que vengan humillados a mis plantas como lo fue humillado Satanás a los pies de San Miguel. Ojos tengan y no me vean, corazón tengan y sean prisioneros, sentidos y no me sientan, oídos y no me oigan, manos tengan y no me sujeten, pies tengan y no me alcancen, cuchillos tengan y no me corten, carabina y se le llene de agua la boca y no me hablen. San Deshacedor, deshace de mi casa todo mal que en ella se encuentre convirtiéndolo en nada, en todo lo que pretenda disponer de algo de mi persona se le deshaga esa idea y quede arrepentido. San Deshacedor, Santo de Gran Poderío, quítale esa idea a quien mi enemigo quiera ser. Amén.

Se rezan tres Credos, dos Padre Nuestro y un Ave María.

Oración en los Juicios de los Hombres antes de la Sentencia

Dios Omnipotente, justicia suprema, bondad infinita. En este momento crítico de fallar, cuya misión es superior a triste condición de un mortal condenado a la vida material por sus defectos, postrado ante Vos con el grave peso de mis culpas, os pido clemencia, Señor, y el concurso de buenos espíritus para que me ayuden en este acto tan difícil de mi existencia, que el estado de atraso de nuestro mundo consideramos aún necesario para el equilibrio social. ¡Oh, Dios mío! Si en esta morada de destierro, el hermano está obligado a juzgar al hermano porque la ley de los hombres le impone este deber, también en ello se refleja vuestra justicia, porque esto mismo es un castigo merecido por nuestra miseria y nuestro atraso moral. Mi alma sufre, Dios mío, siente y conoce que el hombre que juzga el hombre acusado, son hermanos, y en la necesidad de cumplir un deber que me impone el destino, a vos, Padre Celestial, imploro vuestra gracia; juzgadme primero y, con el arrepentimiento de mis propias faltas, permitid que me eleve a vuestro tribunal infalible con la conciencia pura, y que vuestra luz radiante descienda sobre mí y me haga ver clara la falta que condeno y las causas que la atenúan, para poder fallar con justicia. Espíritus buenos, ángel mío tutelar, no me abandonéis, proteged también al acusado, que su guía espiritual le defienda para que su pena sea menos pesada y que sea también más llevadera la prueba si es castigado. Ayudadme todos a suplicar al Señor que, contrayendo méritos en esta vida, venga a nosotros la tierra prometida y que mejoremos nuestros espíritus, sea Dios nuestro único Juez, bajo cuyo manto de bondad infinita nos acogeremos para nuestra eterna felicidad.

Oración a San Expedito

¡Glorioso Mártir y bendito Protector San Expedito! Sin atender a nuestros desméritos y sólo confiando en tus merecimientos, y lo que es más, en lo infinito de la preciosísima sangre de Jesucristo, humildemente te pedimos nos alcances una fe humilde y abundante en buenas obras y verdaderos frutos de vida eterna, una esperanza firme que jamás desfallezca aún en medio de los trabajos y de las más amargas penas, una ardiente caridad que día por día nos inflame más y más en el amor divino y nos haga ver en el prójimo un hermano y verdadera imagen de nuestro Buen Dios. Que en todos nuestros pensamientos, palabras y obras no busquemos sino la gloria de Dios; que jamás nos apartemos de la enseñanza de nuestra Santa Madre Iglesia, que siempre veamos en el supremo Pastor, al representante de Jesucristo en la tierra. Te suplicamos también nos alcances del Señor días de serenidad y de calma para nuestra madre Iglesia, de ventura y prosperidad para nuestro país, que los enfermos encuentren su remedio, los culpables su perdón, que los justos perseveren, los infieles reciban con provecho de sus almas la luz del Evangelio, los que abandonen este valle de lágrimas descansen en el ósculo del Señor y que las almas de fieles difuntos descansen en sempiterna paz. Haz por último, glorioso Mártir, que el Señor nos conceda la gracia que por tu meditación pedimos en esta oración (si para su mayor gloria) y que, habiendo confesado a Jesucristo aquí en la tierra, merezcamos en el auxilio de su gracia confesarlo entre los bienaventurados en medio de las dulzuras del cielo. Amén. (*Aquí pida lo que desee*).

Terminada la oración se rezan tres Padre Nuestro con las siguientes Gloria: Gloria al Padre, al Hijo y al Espíritu Santo, para que den poder a San Expedito y me conceda lo que le pido.

Oración a Santa Eduvigis

Matrona de los adeudados insolventes y desvalidos

Gloriosa Princesa Santa Eduvigis, que llegado al término de tu destierro, noticias del día del tránsito a la eternidad, te previniste con los Santos Sacramentos de la Iglesia y empuñando la imagen de María Santísima, que quisiste te acompañara en el Sepulcro, como en vida te había acompañado por la cordial devoción que desde tu niñez profesaste a la gran Señora, esperaste al Esposo, el que con la comitiva de los cortesanos, vino a recibir tu espíritu y pasando por una preciosísima muerte a lograr el premio de tus virtudes, comenzaste a reinar con tu Esposo en el Cielo. Te doy el parabién de tu gloria, en la que resides, contemplándote en Dios y en todo el mundo, que fue trato de tus piedades. No apartes de Él tus ojos, pues llevando miserias, están éstas clamando por ti por su remedio. Sientan, pues, los enfermos, desvalidos, los efectos de tus compasivas entrañas, a las que confiado recurro en las circunstancias presentes, esperando el consuelo que pido a mayor gloria de Dios. Amén.

Se recomienda usar una medalla de Santa Eduvigis durante el rezo de esta oración.

Oración a Santa Elena de Jerusalén

Gloriosa Santa Elena, Gloriosa Santa Elena, Gloriosa Santa Elena, hija de la reina de Jerusalén, a Jerusalén fuiste, tres clavos trajiste; uno trajiste, lo consagraste y el martes a la mar lo echaste, y el otro se lo diste a tu hermano Cipriano para que venciera guerra y batalla y ése que te queda en las benditas manos no te lo pido dado, sino prestado para enterrárselo en los sentidos a .... para que me tenga presente. Para enterrárselo en el corazón, San Caralampio, tráemelo, Santa Elena, el clavo que te pido es para que me tenga presente y enterrárselo en el pensamiento, que venga, Santa Elena, no me lo dejes parar, ni en cama acostar, ni con mujer alguna conversar, como perro rabioso que vuelva a buscar. Santo Varón, te lo pido para que nunca me olvide por otra mujer, Jesús Nazareno, tráemelo. Santa Bárbara, que .... no me olvide, San Antonio, que .... me cumpla lo que me ha ofrecido, San Juan Bautista, Santo antes de haber nacido, concédeme lo que te pido, que .... me cumpla por la Santa Camisa que te pusieron hoy, San Miguel, písalo, San Cirpriano, óyeme y préstame lo que te pido. Elena, conmueve el corazón con esa varita que tienes contigo, Milagrosa Santa Elena, tráemelo.

Cinco Padre Nuestro y cinco Ave María. Besando tres nudos se amarra una tira y se tira a la calle.

Oración a San Elías

Gloriosísimo Padre nuestro y profeta de Dios, Elías, gran Celador de su honra y Fundador de la Orden de María en el Monte Carmelo, desde cuya cumbre la vislumbrasteis con espíritu profético en aquella pequeña nube que subía del mar, sin mezcla se sus amarguras, y que subiendo la Montaña santa descendió en copiosa lluvia sobre los agostados campos de Israel, símbolo de las gracias que María había de derramar por el mundo con su Santo Escapulario. Haced, oh, Santo Padre mío, que a ejemplo vuestro, consagre yo toda mi vida a honrar a la que es nuestra Madre y nuestro consuelo, que alimentando con la Santísima Eucaristía pueda caminar por el desierto de esta vida sin desfallecer, como caminasteis Vos alimentando por aquel pan ácimo hasta el Monte Horeb, huyendo de la impía Jezabel. Enseñadme a huir de los engaños de este mundo y de las astucias del demonio para que, imitando vuestro celo por la gloria de Dios, algún día puedas estar a vuestro lado cantando las alabanzas de Dios y de su Madre Santísima, a quien deseo ver y amar eternamente. Así sea.

Padre Nuestro y Ave María.

Otra oración

Poderosísimo San Elías del Monte Carmelo, Varón predilecto del Omnipotente, guía de los mortales que nos encontramos sin camino, en esta tierra arrodillada ante Ti, te suplico que me ayudes a sacar de mi hogar todos estos malos espíritus que se hayan alojados en él ya sean enviados o que naturalmente se hayan posesionado de él. Te suplico también, San Elías, que así como has vencido al enemigo que ha tratado de hacerle daño a la persona que Tú proteges, así pueda yo vencer todos los que quieran hacer daño. Préstame tu espada para destruir con ella todos los maleficios que me hayan hecho y que puedan hacerme. Te suplico, Santo Mío, de no abandonarme en la hora del peligro. Ayudadme en esta hora para conseguir la tranquilidad en mi hogar, toma interés por mi mejoramiento y no dejes que ninguno de mis enemigos me haga daño. Ofrezco prenderte por espacio de quince días un cabo de vela y el último día una lamparita de aceite puro de oliva, para aclarar mi hogar.

Se reza un Padre Nuestro, un Ave María y un Gloria.

Oración al Gran Poder de Dios

El Gran Poder de Dios me valga, la fortaleza de la Fe de Jesucristo me acompañe. La purificación sea conmigo.

El poder de la Santísima Trinidad quebrante la fortaleza de mis enemigos, para que no me hagan mal ni a mí ni a mis hijos ni a mis bienhechores. Jesucristo Redentor, que al mundo desde la Cruz venciste, vence a mis enemigos por la muerte que tuviste. Amén.

Después de esta oración hágase la novena de San Miguel. Se repite tres veces empezando con un Credo y terminando con otro Credo.

Gran ensalmo en honor del escogido Barón del Cementerio

¡Oh! Barón Escogido del Cementerio, tres veces evoco tu Santo nombre para que, ayudado por la prepotente fuerza de Caín, me facilites tres de tus escogidos espíritus para que hombre o mujer nacidos, no puedan hacer acto alevoso en contra mía. *Otro:* para que en ningún caso la justicia terrenal me condene. *Otro:* para que todas las ideas malas perversas que tenga en contra mía se revoquen en contra, haz que tenga que venir humillado hasta mí y arrepentido de todo corazón y arrastrado se vea por orden del Barón del Cementerio.

Tres Padre Nuestro y tres Ave María.

Oración a San Gerardo de Mayela

¡Oh, glorioso Santo! Vos que fuisteis tan sufrido en las adversidades y tan amante de padecer, que o perseguido o calumniado o probado, todo lo soportasteis con admirable tranquilidad de ánimo, alcanzadme a mí también el espíritu de fortaleza en todas las adversidades de la vida. ¡Cuánta necesidad tengo de la virtud de la paciencia, pues el más pequeño trabajo me espanta, cualquier leve afición me fastidia, me recinto y me enojo por la más pequeña contrariedad y no conozco que por el camino de las tribulaciones se va al Cielo! Por ese camino quiso andar Jesús, Nuestro Divino Maestro, por él anduvisteis. Vos también, ¡oh, San Gerardo! Alcanzadme pues, ánimo para abrazar gustoso las cruces que Dios me envía, haciéndome digna de llevarlas con una paciencia y prontitud semejante a la vuestra, a fin de que merezca después, justamente con Vos gozar de Dios en la Gloria. Así sea.

Tres Gloria Patri atc. a la Santísima Trinidad. Aquí se pide la gracia que se desea.

Oración a Santa Inés del Monte

Soberano Dios, infinitamente amable, en quien sólo pudo hallar quietud el corazón humano, que con el suave imán de tu bondad divina de tal suerte atrajiste para ti la bienaventurada Santa Inés del Monte, policiano de Asís, que despreciando por tu amor todas las vanas esperanzas que le ofrecía el mundo, abandonado las conveniencias y riquezas de su casa y hasta sus mismos padres, se abrazó valerosa con la cruz de la mortificación para desosarse con tu majestad Santísima en la seráfica religión de su esclarecida hermana y madre Santa Clara. Donde emulando fervorosa sus admirables virtudes se hizo ejemplar de toda perfección. Concedenos, Señor, por su intercesión el que respondiendo nosotros puntualmente a tu llamamiento a atraídos solamente por tu inefable bondad despreciemos todos los falsos halagos y conveniencias del mundo, para que imitando sus virtudes nos abracemos también en esta vida con la cruz de mortificación y, por este medio, consigamos desposar nuestras almas con tu Divina Majestad en el Celestial Paraíso de la Gloria.

Oración a San Jorge

Poderoso Señor, ejemplo de los humildes, que de los vicios nos defendiste con tu lanza, del demonio, para transportarnos a la Gloria. Por la humildad de tu glorioso mártir, San Jorge, humildes te pedimos la eficacia de tu intercesión y venciendo los peligros que me acongojan, logremos feliz puerto en nuestras fatigas, y pasar salvos las zozobras de la muerte y después de la cual te alabamos en la Gloria. Amén.

Oración a Juana de Arco

¡Oh, Divina Juana de Arco! Humilde mensajera de Dios que por misión tuviste que afrontar los grandes problemas de tu pueblo, pues fue invadido por tus enemigos encarnados que por misión recibiste la orden desde lo alto para afrontar los peligros de una guerra sin cuartel entre hermanos. Divina médium inspirada por espíritus de Dios. Fuiste la elegida en misión de libertar a los demás. Te condenaron a la hoguera como premio a tu gran misión al ser divinizada por Dios y los seres humanos. A tus pies te pido que yo pueda vencer todos los imposibles de mi vida material. Ayúdame a tener fuerza espiritual para así consagrarme al dolor que purifica el alma.

¡Oh, Divina heroína del pensamiento! Ruega a Dios no me desampare para que yo pueda vivir la vida con toda resignación. Así sea.

Esta oración se hace cuando a uno le falta la fe para vivir la vida. Invoque a esta heroína del pensamiento.

Oración al Santo Niño Jesús de Praga

¡Oh, Niño Jesús! Yo recurro a Vos y os ruego que por vuestra Santísima Madre me asistáis en esta necesidad. (*Aquí se expresa lo que se desea conseguir*), pues creo firmemente que Vuestra Divinidad me puede socorrer y espero muy confiado ser asistido de vuestra Santa Gracia. Os amo con todo mi corazón y con todas las fuerzas de mi alma. Me arrepiento sinceramente de todos mis pecados y os suplico, ¡oh, Buen Jesús!, me deis valor y ánimo para triunfar de mis malas inclinaciones. Tomo la resolución de sufrirlo todo antes que volver a ofenderos. En adelante quiero serviros con fidelidad. Por vuestro amor, mi Divino Niño, amaré a mi prójimo como a mí mismo. Niño Todopoderoso, ¡oh, Buen Jesús!, os suplico de nuevo me asistáis en esta necesidad (*se repite mentalmente lo que se desea alcanzar*) haciéndome la gracia de poseeros eternamente con María y José y con los Santos Ángeles de la Corte Celestial. Amén.

Oración al Glorioso San Luis Beltrán

Criatura de Dios, yo te curo, ensalmo y bendigo en nombre de la Santísima Trinidad Padre, Hijo y Espíritu Santo, tres Personas y una Esencia Verdadera; y de la Virgen

María, Nuestra Señora Concebida sin mancha de pecado original, Virgen antes del parto, en el parto y después
del parto y por la gloriosa Santa Gertrudis, tu querida y
regalada esposa, once mil vírgenes, Señor San José, San
Roque y San Sebastián y por todos los Santos y Santas de
tu Corte Celestial; por tu gloriosísima Encarnación,
gloriosísimo Nacimiento, Santísima Pasión, Gloriosísima
Resurrección, Ascensión; por tan altos y Santísimos misterios que creo y con verdad; suplico a tu Divina Majestad
poniendo por intercesora a tu Santísima Madre y abogada nuestra, libres, sanes a esta afligida criatura de esta
enfermedad, mal de ojos, dolor, accidente, de calentura
y otro cualquier daño, herida o enfermedad. Amén, Jesús. No mirando a la indigna persona que refiere tan
sacrosantos misterios con tan buena fe, te suplico, Señor, para más honra tuya y devoción de los presentes, te
sirvas por tu piedad y misericordia de sanar y librar de
esta herida, llaga, dolor, humor, enfermedad, quitándo-
le de esta parte y lugar. Y no permita tu Divina Majestad
le sobrevenga accidente, corrupción ni daño, dándole
salud para que con ella te sirva y cumpla tu Santísima
Voluntad. Amén, Jesús. Yo te juro y ensalmo y Jesucristo Nuestro Señor Redentor te sane, bendiga y haga en
toda su Divina Voluntad. Amén, Jesús.

Es contra maleficios y todo género de enfermedades, etc.

Oración a San Lázaro

¡Oh!, bendito y glorioso Lázaro de Bethania, amparo y
sostén de Marta y María. A Ti llamo, ¡oh!, amado y siempre vivo espíritu de gracia, con la misma fe y amor que
Jesús llamó a la puerta de tu sepulcro de donde saliste

vivo y glorioso, después de haber estado por espacio de cuatro días consecutivos tu cuerpo enterrado, sin haber dado la más leve señal de impureza e imperfección. Así, también, yo os llamo hoy a la puerta de tu Santo Espíritu para, que con la misma fe que Dios infundió en ti, me concedas lo que en esta oración te pido... invocando para ello el incomparable amor con que Dios te quiso premiar y resignación con que supiste sufrir los tiempos de tu vida material.

Oración a Nuestra Señora de Loreto

Purísima y Santísima Virgen María, que trocasteis el nombre de Lazarena con el de Lauretana por haber traspasado Dios con estupendo milagro de la ciudad de Nazaret a la de Loreto la Santa Casa vuestra en que después de concebida y nacida concebisteis al Hijo de Dios, y su compañía con el esposo virgen San José, habitasteis muchos años en una vida celestial. Por esta singular maravilla que el Poder Divino sólo con vuestra casa obró, dejando los otros Santos Lugares en poder de los infieles, han reconocido los Sumos Pontífices, Reyes, Príncipes y pueblos Cristianos quiere Dios.sea venerada sobre todo Lugar Santo, por haberse ejecutado en ella el mayor de los Divinos Misterios que es la Encarnación del Verbo Eterno en vuestras entrañas, y por haber sido ensalzada Vos allí mismo a la mayor dignidad que es posible a pura criatura que es ser Madre Natural de Dios. Dulcísima y Soberana Reina de los Cielos, María Santísima y Madre de Nuestro Señor Jesucristo, yo te suplico, Señora, con todo el afecto de mi corazón, por todos los estupendos misterios que en ti y por ti obró la Santísima Trinidad en la Santa Casa de Nazaret, hoy de Loreto, me concedas el favor que te pido, si ha de ser para mayor gloria de Dios, honra tuya y provecho mío. Amén.

Se recomienda usar una medalla de Nuestra Señora de Loreto durante el rezo de esta oración.

Oración a San Marcos León

San Marcos de León, que evitaste la desgracia del dragón. Amansa los corazones, malos sentimientos, malos pensamientos, infelices contra mí son. Paz, Paz, Cristo, Cristo. *Dominum.* Paz, Paz, Cristo, Cristo, Cristo. *Dominum Nostrum.* Con dos lo veo, con tres los ato, con éste y el Espíritu Santo. Ojos tienen, no me miren; manos tienen, no me toquen; hierros tengan, no me hieran; lenguas tengan, no me hablen. Paz, Paz, Cristo, Cristo, Cristo. *Dominum Nostrum.* San Juan, tus amigos vienen, déjalos venir. Paz, Paz, Cristo, Cristo, Cristo. *Dominum Nostrum.* Deteneos como se detuvo Nuestro Señor Jesucristo en la hora del trance de su muerte. Paz, Paz, Cristo, Cristo, Cristo. *Dominum Nostrum.* Tus enemigos están bravos como león, pero amansados serán por San Juan y San Marcos de León y todos llegarán a tus pies como llegó al pie del Árbol de la Cruz. Paz, Paz, Cristo, Cristo, Cristo. *Dominum Nostrum.*

Ensalmos a San Miguel Arcángel

Yo.........., me ofrezco a los Catorce Ensalmos reales de Nuestro Señor Jesucristo y a la fuerza, poder y espada

de San Miguel Arcángel para que me ensalme a..........
que pelea quiere conmigo y no peleará porque está ensalmado con los catorce ensalmos reales de Nuestro Señor Jesucristo, y la fuerza poder y espada de San Miguel Arcángel, con su arma blanca no me cortará, con su arma no me tirará, con su lengua y acciones no me dañará, María Santísima me resguardará, San Pedro y San Pablo me defenderán y Tú, San Miguel Arcángel, con tu fuerza, poder y espada, humillados y vencidos los traerás a mis pies, como tienes a Luzbel bajo tus plantas.

Yo..., me ofrezco a los catorce Ensalmos reales de Nuestro Señor Jesucristo y a la fuerza, poder y espada de San Miguel Arcángel para que, si tuviera que verme en justicia quede todo aplastado y vencido y no se encuentre causas para sentenciarme.

Yo..., en cuerpo te saludo, con dos te veo, con tres te ato, el corazón te clavo y te parto; vendrás a mis plantas humillado como tiene San Miguel Arcángel a Luzbel bajo sus plantas.

Yo..., me ofrezco a los catorce Ensalmos reales de Nuestro Señor Jesucristo, y a la fuerza, poder y espada de San Miguel Arcángel y espero verme libre de todos mis enemigos y de los lazos por ellos tendidos.

Yo..., me ofrezco a los catorce Ensalmos reales de Nuestro Señor Jesucristo, y a la fuerza, poder y espada de San Miguel Arcángel para que me ensalme a todos mis enemigos tales como..., ya si traten de poner sus manos sobre mi honra perderán toda la intención mala que tengan para mí.

Yo..., me ofrezco a los catorce Ensalmos reales de Nuestro Señor Jesucristo y a la fuerza, poder y espada de San Miguel Arcángel, para que si tenga que huir, me vea libre e invisible de mis perseguidores.

Paz Cristo... Paz Cristo... Paz Cristo... Amén.

Este servicio se hace con una vela blanca encendida, a la cual se le han hecho tres Cruces.

Oración de San Martín de Porres

¡Oh Dios Misericordioso, que nos disteis en el Bienaventurado Martín un modelo perfecto de humildad, de mortificación y de caridad y sin mirar a su condición, sino a la fidelidad con que os servía, lo engrandecisteis hasta glorificarlo en vuestro Reino, entre los coros de los ángeles! Miradnos compasivo y hacednos sentir su intercesión poderosa. Y Tú, beatísimo Martín que viviste sólo para Dios y para tus semejantes; tú que tan solícito fuiste siempre en socorrer a los necesitados, atiende piadoso a los que admirando tus virtudes y reconocido tu poder, alabamos al Señor que tanto te ensalzó. Haznos sentir los efectos de tu gran caridad, rogando por nosotros al Señor, que tan fielmente premió tus méritos. En esta necesidad y pena que me agobia acudo a Ti, mi protector San Martín de Porres. Quiero sentir tu poderosa intercesión. Tú, que viviste sólo para Dios y para tus hermanos, que tan solícito fuiste en socorrer a los necesitados, escucha a quienes admiramos tus virtudes. Confío en tu poderoso valimiento para que, intercediendo ante el Dios de bondad, me sean perdonados mis pecados y me vea libre de males y desgracias. Alcánzame tu espíritu de caridad y servicio para que amorosamente te sirva entregado a mis hermanos y a hacer el bien. Padre Celestial, por los méritos de tu fiel siervo San Martín, ayúdame en mis problemas y no permitas que quede confundida mi esperanza. Te lo pedimos por Jesucristo, Nuestro Señor. Amén.

Oración a Nuestra
Señora de Montserrat

¡Oh! Madre del Santo Amor, vida, refugio y esperanza nuestra. Preciosísimo depósito de los tesoros celestiales, que siendo por medio de esa Santa Imagen venerada en Montserrat, os valéis para apoyar a los pobres, desvalidos, atribulados y huérfanos, para aliviarlos y sacarlos de sus ahogos, abatimientos y miserias. Concededme, ¡oh, Madre de los elegidos, refugio de pecadores y consuelo de atribulados!, que triunfando yo del pecado y de la ignorancia de mis deberes, me ocupe eficazmente, con fervorosas oraciones y buen ejemplo, a contener la juventud que corre desbocada por la pendiente del vicio y de la impiedad e instruyéndola en las máximas evangélicas, emprenda la senda del Evangelio, de la virtud y la obediencia a los que en la tierra nos gobiernan como representantes de Dios. Vos lo podéis, ¡oh, Esperanza y Protectora nuestra! y esto es lo que espero conseguir de vuestra benignidad, para que después de ser loada y bendecida con vuestro Hijo Jesús acá en la tierra, os podamos ver y loar por toda una eternidad en el Cielo. Amén.

Se reza tres veces la Salutación Angélica con Gloria Patri.

Oración a los Nueve Martes
de Santa Marta

Santa Mía, Santa Marta, me entrego a tu amparo y protección, acogiéndome a tu voluntad y providencia. En prueba de acto y contrición y acción de gracias ofrezco esta luz, la que en tu honor todos los martes encenderé. Consuélame en mis penas y, por la inmensa dicha que experimentaste al hospedar en tu casa de Bentania a Nuestro Bendito Salvador, Jesucristo, intercede por mí y por toda mi familia, para que siempre conservemos en nuestros corazones la fe en Dios Omnipotente y veamos cubiertas nuestras diarias necesidades. Te ruego concedas misericordia infinita al gran favor que hoy pido. (*Hágase la petición*). Hoy te pido, que así como venciste el dragón que tienes a tus pies, atado con el cíngulo, venzas todas mis dificultades.

Récese un Padre Nuestro, Ave María y Gloria. Hacer esta oración durante nueve martes consecutivos y encender una vela o lámpara de aceite ante la imagen de Santa Marta y regalar esta oración cada martes, para que esta milagrosa Santa conceda lo que se le pide con fe y veneración.

Quince minutos con Santa Marta

Santa Marta, abogada mía, acógeme a tu protección y amparo, entregándome por completo a la voluntad del Altísimo y a su misericordia y, en prueba de mi afecto y acción de gracias, te ofrezco esta luz que en tu honor enciendo y por la inmensa dicha que gozaste hospedando en tu casa de Betania al Salvador, te ruego intercedas por mí y por todos los de mi familia para que veamos cubiertas nuestras necesidades y conservemos siempre en nuestros corazones amor a Dios. También te ruego obtengas de la misericordia infinita del Señor el gran favor que hoy te pido (se hace la petición) y venzas las dificultades, como venciste al dragón que tienes a tus pies, si es a mayor gloria de Dios y bien de nuestras almas. Amén.

Padre Nuestro, Ave María y Santo.

Otra oración (Dominadora)

Santa Marta Virgen, por el carabanchel que hoy vas a consumir, por el aceite con que se alimenta esta lámpara y por el algodón con que se limpiaron los Santos Oleos, yo te dedico esta lámpara para que remedies mis necesidades y socorras mis miserias y me hagas vencer todas las dificultades, así como venciste las fieras bravas que tienes a tus pies. Para Ti no existen imposibles, dame salud y trabajo para poder cubrir mis necesidades y miserias. Así, Madre Mía, concédeme que .... no pueda estar ni vivir tranquilo hasta que a mis pies venga a parar. Así, Madre Mía, por el amor de Dios, concédeme lo que te pido para aliviar mis penas. Amén, Jesús.

Santa Marta Virgen, que en monte entraste, las fieras bravas espantaste, con tus cintas las ataste y con tu hisopo las amansaste, así, Madre Mía, que no dudo que esto es la pura verdad, te ruego que amanses a .... amánsa a .... amánsa a ...., Santa Marta, que no lo dejen en silla sentar, ni en cama acostar y que no tenga un rato de sosiego hasta que a los pies míos venga a parar. Santa Marta, óyeme, atiéndeme, por el amor de Dios.

Tres Ave María.

Oración a la Virgen Milagrosa

Señora Mía benditísima. ¿Quién ha sido en esta vida más atribulada, después de vuestro benditísimo Hijo que vos? ¿Quién ha sido más combatida de angustias y penas? ¿Quién atravesada de más agudo chillido de dolor? Todas las penas y tormentos que pasó vuestro piadoso corazón no solamente os sirvieron para ser más semejantes en el padecer a vuestro hijo y acrecentar vuestras coronas, sino también para que os compadecieseis más de los que padecen y dieses la mano y sustentasteis con vuestro brazo poderoso a los que, sumidos en el abismo de miserias y calamidades, nos anegaríamos sino alzásemos los ojos a vos. Yo estoy en la hora presente afligido, las tribulaciones me rodean por todas partes, estoy cercado de penas, no tengo en qué esperar ni veo cosa alguna en qué estribar ni hacer pie. El sol se me ha oscurecido, todas las cosas me atormentan y no tengo otro refugio, ni otra estrella que mirar sino a vos, en cuyos dulcísimos brazos me echo y en cuyo fidelísimo patrocinio confío, sé de cierto que antes faltaría el cielo y la tierra, que vuestro socorro a los que os lo piden con humildad y devoción esperando en vos, porque cuando las cosas están más apretadas y más sin remedio, tanto las entrañas suavísimas de vuestra piedad, vuestra poderosa misericordia resplandece más, sanando las llagas incurables, dando fácil salida a los que humanamente parecen que no la tienen. Como os suplico que lo hagas en ésta, mi necesidad. Amén.

Oración a Nuestra Señora del Olvido

¡Oh! Inmaculada Virgen del Olvido de los que necesitamos tu valiosa protección y amparo, Madre amantísima de Jesús, Madre de nuestras almas, así como así, amparaste la niñez en extrema pobreza de Belén, que a tu precioso colmaste del mejor de los bienes, de la riqueza de tu inmenso amor, así ampárame a mí, con ese riquísimo amor en la inconstancia de la fortuna, en la caducidad de los bienes. ¡Oh!, Virgen olvidada, como vos en la persecución de Herodes amparaste heroicamente tu inmenso y tierno infante del furor de sus armados enemigos, así mismo ampárame a mí, Madre admirable, como a hijos de tu amantísimo corazón a los que te invocan ante las acechanzas de los enemigos de nuestras almas, el mundo y el Demonio. Y como en fin, amparaste a Jesús en su trágico e incomprensible desamparo de la Cruz, dulcificándole así su amargura y agonía del Calvario, así ampara a mi familia siempre y por siempre. Amén Jesús.

Padre Nuestro, Ave María.

Ofrecimiento que una madre hace de sus hijos al Niño Jesús de Praga

Amadísimo Niño Jesús de Praga, Hijo adorabilísimo de María Virgen y Madre Inmaculada, quisiera honraros con el honor profundo con que os honran los ángeles y santos en el Cielo y los corazones justos en la tierra, pero soy pobre criatura sin méritos y con muchos pecados. Vos que sabéis lo que es lo que vale para una madre el hijo de su corazón, aceptad el obsequio de amor y honor que os ofrezco al dedicaros y consagraros con todo rendimiento y con todo mi corazón a mi hijo, os lo doy, en vuestro, guardádmelo de todo peligro de alma y cuerpo, bendecid su corazón para que sea siempre puro, bendecid sus ojos para que no sean fascinados por los halagos de la vanidad, bendecid sus inclinaciones para que nunca se desvíen de la virtud, bendecid su alma, sus potencias y sentidos, Divino Niño. Vos habéis prometido favorecer a quien os honre y os confío lo que más amo en este mundo, mi hijo… mi hijo, Jesús Mío, Hijo de la Virgen.

¿Qué será de mi hijo el día de mañana? ¿Será bueno? ¿Os amará? ¿Amará a sus padres? ¿Será feliz? ¿Se perderá? ¡Oh, cuánto cavila una madre! Vos lo sabéis Dios mío que leéis en lo íntimo del alma. Mi corazón de madre descansa en Vos, Divino Niño Jesús de Praga. Amén.

Oración a la
Santísima Virgen del Rosario

Acuérdate, ¡oh, piadosísima Virgen María!, que jamás se oyó decir que ninguno de los que a Ti han recurrido, ninguno de los que han invocado tu protección e implorado tus auxilios haya sido de Ti abandonado. Animado yo con esta confianza recurro a Ti, ¡oh, Virgen Madre de Vírgenes!, ruego a Ti, y gimiendo y temblando como pecador que soy, compadezco en tu presencia. ¡Oh, Madre del divino Verbo!, no desprecies mis súplicas, antes bien escúchalas y acógelas benignamente. Amén.

Nuestro santísimo Padre Pío IX concedió trescientos días de indulgencia por cada vez que se rece la anterior oración y, a los que la recen una vez cada día, concedió una indulgencia plenaria cada mes, con tal que, confesando y comulgando, visiten una Iglesia y rueguen allí por la intención del Papa en aquel día. Basta visitar el Altar Mayor.

Oración a San Pancracio

¡Oh, glorioso San Pancracio! Abogado especial para alcanzar salud y trabajo, intercede ante el Señor por mí, para que logre con vuestro auxilio el favor que deseo alcanzar, si ha de ser para gloria de Dios y bien de mi alma. Amén. Aunque Tú las conoces, Señor, pero mi deber es pedirte socorro para mis necesidades. Si mi petición es justa, Señor, envía tus mensajeros para que me auxilien o me dirijan en la manera que debo emplear para ganar mi subsistencia con el sudor de mi frente. Amén.

Oración a San Roque

Piadosísimo confesor de Cristo, glorioso San Roque, otro David de la ley de gracia por la mansedumbre y rectitud de corazón: nuevo Tobías en el tiernísimo afecto para con los pobres y por la constancia en ejercer las obras de misericordia, cual otro Job, prodigio estupendo de paciencia y fortaleza en los dolores y trabajos con que el Cielo te probó. ¡Cuánto me alegro que en este mundo orgulloso, sensual y ambicioso, aparezcas Tú tan pobre, humilde y mortificado, distribuyendo a los pobres tu opulentísimo patrimonio y mendigando el pan hasta

Roma en traje de peregrino! Y como si nada fueran ni las llagas y dolores que padeces, ni el hambre que te aqueja, ni el abandono en que te ves, hasta no tener a veces más recurso ni amparo que el pan que te envía el Cielo por medio de un prodigioso perro; como si nada fuera aún el verte encerrado en un horrible calabozo cuatro años enteros por tu mismo tío, que sin conocerte, te trata de espía, te entregas generoso a los rigores de la más asombrosa penitencia. ¡Oh! ¡Cuánto condena esa tu vida penitente, pobre y humilde, el orgullo, la ambición y sensualidad de la mía! ¡Ay!, no extraño seas Tú visitado con indecibles favores y gracias celestiales, al paso que yo soy castigado de la divina justicia con razón irritada por los vicios y pecados míos. Pero aplácala, dulce Patrón y abogado contra la peste. Tú que libraste a Roma, Plasencia y a tantas otras ciudades de este azote devastador, líbrame también a mí y libra de él a esta ciudad que pone en Ti toda su confianza. Cúmplase en nosotros la dulce promesa que el Cielo dejó escrita en aquella misteriosa tabla que apareció sobre tu glorioso cadáver. Los que tocados de la peste invocaren a mi siervo Roque, se librarán por su intercesión de esta cruel enfermedad.

Oración a San Ramón

Gloriosísimo San Ramón, venerado protector de los ángeles que se acercan a este mundo, santísimo vigilante de las almas que a través del seno maternal se allegan a este valle de lágrimas, me encomiendo a tu divina y perfecta bondad. Postrada de hinojos a tus divinos pies vengo a pedir tu protección y ayuda en el doloroso trance que se aproxima y por el cual ha de cruzar mi pecadora existencia. Me allego a Ti, milagroso y bondadoso guardián de las almas, como sierva humilde y rendida a tus plantas, implorando tu vigilancia y tu mirada caritativa para ayudar mi alma y el alma del ángel inocente que ha de llegar a esta tierra de pecadores. Perdón te pido, glorioso protector, si alguna vez te he ofendido y si esta triste y humilde pecadora en algo ha contrariado tu divina majestad. Amén.

Se reza un Padre Nuestro y un Ave María.

Oración a San Rafael

Señor San Rafael mío, a vos llego con alegría y contento para que me remedies esta necesidad mía antes de los 21 días, y para que me acompañes y guíes como acompañaste y guiaste al joven Tobías. (*Se reza un Padre Nuestro y un Ave María el primer día, dos el segundo y así sucesivamente aumentando uno todos los días*). ¡Oh, fidelísimo compañero y custodio mío! Destinado por la Divina Providencia para mi guarda tutelar, protector y defensor mío, que nunca te apartes de mi lado y gracias te daré yo por fidelidad y amor que me profesas y por los muchos beneficios que a cada instante estoy recibiendo de Ti; Tú velas sobre mí cuando estoy durmiendo, cuando estoy triste Tú me consuelas, cuando estoy desmayado me alientas, Tú apartas de mi lado los peligros presentes y me enseñas a precaver los futuros, me desvías de los malos y me inclinas a los buenos, me reconcilias con Dios y mucho tiempo hace que estaría ardiendo en el infierno si con tus ruegos y gemidos no hubiera detenido la ira del Señor, te suplico no me desampares en las cosas adversas, modérame en las prosperidades, líbrame de los peligros y ayúdame en las tentaciones para no dejarme vencer jamás y lleva ante el acatamiento de Dios mis oraciones y todas mis obras buenas, consiguiendo que de esta vida sea trasladada mi alma en gracia de Jesús, María y José, Joaquín y Ana.

Este santo es uno de los tantos médicos que poseen en el espacio. Invóquelo como espíritu de alto grado de perfección y tendrá usted derecho a recibir la ayuda de él. Se reza una Salve, un Padre Nuestro y Ave María a las Ánimas. Haga su petición. Persígnese.

Oración a San Silvestre

Ésta es la Santa Cruz donde murió nuestro Señor. Padre San Silvestre, monte mayor, te ruego libres mi cuerpo y mi casa de todos malhechor, brujo, hechicero, de hombres y de mujeres de mal vivir, de todo lo malo que deseen para mí y mi familia, mis enemigos visibles e invisibles, no me puedan vencer. En el Sagrado Corazón de Jesús pido que, al echar el azúcar en este baño, que según se endulce, endulce mi porvenir y el de mi familia. Pido en nombre de Santa Teresa de Jesús, que al echar la albahaca, se espante todo lo malo que haya dentro de mi casa y de mi familia y se aleje. Pido en nombre de la Santa Cruz que al echar el epazote, según de semillas lleve, entre honradamente el dinero y la abundancia, la salud por la puerta de mi casa y por la casa de toda mi familia. Previniéndome Santa Inés que al echar la Santa María, se rompa todo lo malo que haya en mi casa, en mi cuerpo y en mi familia y se aleje. Y pido, por último, en nombre de los Reyes del Cielo, Jesús, María y José, que al regar este baño en la sala de mi casa ahora que son las doce del día venga la buena suerte para todos… En nombre del Señor…

Se reza un Credo, un Ave María y un Padre Nuestro.

Oraciones para la suerte

Oración a las Siete Potencias Africanas

*Limpieza para la casa y el cuerpo por las
siete potencias africanas. (Baños espirituales)*

*Hermano mío: La paz de Dios esté contigo. Si quieres tener
gracias y simpatías en el amor y los negocios; si tú quieres
tener atractivos y seducción; si tú quieres estar sano de cuerpo
y alma y alejar las malas sombras que te sigan, date un baño
de agua clara con hojas de Botón de Oro y rajita de canela,
todos los viernes; durante nueve viernes se hará este baño para
que vea su resultado, los viernes a mediodía. También puedes
bañarte con cocimiento de yerbas aromáticas, arregla el agua a
la temperatura que te agrade. Escoge una o varias de estas
yerbas: romero, hojas de jazmín de cinco puntas, hojas de colonia, siete gajos de álamo, de la parte que nace el sol, hojas de
salvia, hojas de paraíso, incienso. Después del baño se perfu-
ma el pelo con agua de Colonia o esencia del hermano Juan en
la caja del cuerpo, encendiendo una lamparita de precipitación
al Santo o Ser que sea su Guía protector.*

Aseo espiritual

*Hermano mío: La gracia de Dios entre en tu casa. Si quieres
que tu casa esté favorecida y entre mucho dinero por los buenos*

espíritus de las siete potencias africanas, friega el suelo de tu habitación o casa todos los viernes durante nueve semanas, por la mañana, con agua clara y yerbas especiales. Puedes restregar el suelo con un manojo de las mismas hojas del baño. Quemarás mirra, incienso y benjuí junto con carbón de piedra. Procura despejar los rincones de trastos inútiles y echar a la basura ropas y zapatos viejos inservibles. Sacude y limpia todos los muebles, trajes y enseres de la casa y riega las paredes con agua purificada. No guardes nada sucio o roto y cuando termines la limpieza enciende una lamparita de precipitación al Santo o Ser que sea tu Guía protectora.

Oración a las Siete Potencias Africanas

Changó – Ochún – Yemallá – Obatalá
Orula – Ogún – Eleguá

¡Oh, Siete Potencias que estáis alrededor del Santo entre los Santos! Humildemente me arrodillo ante vuestro cuadro milagroso para implorar vuestra intercesión ante Dios, Padre amoroso que proteges a toda la creación, animada e inanimada, y os pido, en nombre del sacratísimo y dulce nombre de Jesús, que accedáis a mi petición y me devolváis la paz de espíritu y la prosperidad material, alejando de mi casa y quitando de mi paso los escollos que son la causa de mis males, sin que jamás puedan volver a atormentarme. Mi corazón me dice que mi petición es justa, y si accedéis a ella, añadiréis más gloria al nombre bendito por los siglos de los siglos de los siglos de Dios nuestro Señor, de quien hemos recibido la promesa de pedid y se os dará. ¡Así sea en el nombre del Padre, del Hijo y del Espíritu Santo!... ¡Oídme Changó!... ¡Escuchadme, Ochún!... ¡Atendedme,

Yemallá!... ¡Miradme con buenos ojos, Obatalá!... ¡No me desamparéis, Ogún!... ¡Sedme propicio, Orula!... ¡Interceded por mí, Eleguá!... ¡Concédeme lo que te pido por la intercesión de las Siete Potencias Africanas! ¡Oh! Santo Cristo de Olofi. Por los siglos de los siglos seas bendito. Amén.

Haga su petición. Persígnese.

Oración del Dinero

Con la ayuda del Señor no carezco de ninguna cosa buena. Tengo mi cartera bendecida por el Señor, abierta no solamente para recibir sino también para dar al necesitado. ¡Señor, permite que use este dinero con sabiduría y lo comparta con mis hermanos, como Tú lo mandas! No hay ningún camino cerrado para mí. Si tengo alguna necesidad o si necesito más abundancia busco a Dios que me enseña el camino a seguir, si tengo fe y me atrevo a creer. ¡Oh, Señor! Tú que tienes el poder de dar al necesitado, ayúdame a resolver mis problemas y no permitas que carezca de salud y dinero para cubrir mis necesidades.

Rece tres Padre Nuestro y tres Ave María, usando el Baño de Dinero.

Oración al Espíritu de la Buena Suerte

¡Oh, misterioso espíritu que diriges todos los hilos de nuestra vida! Desciende hasta mi humilde morada, ilumíname para conseguir, por medio de los secretos azares de la lotería, el primero que ha de darme la fortuna y con ella la felicidad y el bienestar que recibirá mi alma, observa mis intenciones que son puras y sanas y que van encaminadas al bien y provecho mío y de la humanidad en general. Yo no ambiciono riquezas para mostrarme egoísta o tirano, deseo dinero para comprarme la paz de mi alma, la ventura de lo que amo y la prosperidad de mi esperanza. ¡Oh! Soberano Espíritu, si Tú crees que yo debo pasar todavía muchos días sobre la tierra, sufriendo las incomodidades que el destino me repara, hágase tu voluntad, yo me resigno a tu decreto pero ten en cuenta mis sanos propósitos en este momento en que te invoco la necesidad en que me encuentro, y si está escrito en el libro de mi destino, sean satisfactoriamente atendidos mis votos que están expresados con toda sinceridad en mi corazón. Amén.

Oración para hacer Fortuna

En nombre de nuestro Señor Jesucristo, Padre, Hijo y Espíritu Santo, sólo un Dios en esencia y trino en personas; yo te invoco, Espíritu, Espíritu, Espíritu bienhechor, para que seas mi ayuda, mi apoyo, protejas mi cuerpo y mi alma, acrecientes mis riquezas, seas mi tesoro por la virtud de la Santa Cruz, de la pasión y muerte del Todopoderoso. Yo te requiero por todos los Ángeles de la corte celestial, por los padecimientos de la Bienaventurada siempre Virgen María y por el Señor de los Ejércitos que ha de juzgar a los vivos y a los muertos. A Vos, que sois Alfa y Omega, Emperador de Reyes, Mesías, Señor y Dios mío, a quien todos los Santos invocan, yo os considero y os bendigo y, por vuestra preciosa sangre que derramasteis para salvar al pecador, os suplico os dignéis celebrar mis votos. Amén.

Tres Padre Nuestro a la Santísima Trinidad y un Padre Nuestro al Eterno Padre porque siga mis pasos. Amén.

Oración para ganar la Lotería

Es preciso, antes de acostarte, rezar devotamente esta oración, después de lo cual la colocarás debajo de la almohada. El espíritu que preside tu vida, descendiendo del planeta bajo el cual naciste, se aparecerá a tu alrededor y te indicará la hora, el lugar y si eres de los elegidos para el premio de la lotería, te indicará así mismo el número que debe tener tu billete.

¡Oh, misterioso espíritu, dirige todos los hilos de nuestra vida! Desciende hasta mi humilde morada. Ilumíname para conseguir, por medio de los secretos azares de la lotería, el premio que ha de darme la fortuna, el bienestar y el reposo. Penetra en mi alma, examínala. Ve que mis intenciones son puras y nobles y que se encaminan en y provecho mío y de la humanidad en general. Yo no ambiciono las riquezas para mostrarme egoísta y tirano. Deseo el dinero para comprar la paz de mi alma, la ventura de los que amo y la prosperidad de mis empresas.

Oración a la Santa Rosa de Jericó

Divina Rosa de Jericó, por la Bendición que de Nuestro Señor Jesucristo recibiste, por la virtud que Tú encierras y por el poder que se te concedió, ayúdame a vencer las dificultades de la vida, dame salud, fuerzas, felicidad, tranquilidad y paz en mi hogar, suerte en mis negocios, habilidad en el trabajo, para ganar más dinero con que cubrir mis necesidades y las de mi hogar y toda mi familia. Divina Rosa de Jericó, todo esto te lo pido por la virtud que Tú encierras, en amor a Cristo Jesús y su grandiosa misericordia. Amén.

Se dicen tres Padre Nuestro.

Instrucciones: *La rosa debe ponerse en un plato hondo con agua a las nueve o a las tres del día martes o viernes. Déjese en agua por tres días consecutivos, quitándose a la misma hora en que se puso y hágase la oración con todo fervor religioso. La Fe es la que salva y si no tienes Fe, nada alcanzarás de las muchas virtudes atribuidas a esta planta. Ten presente que una planta completamente seca recobra la vida y su color verde natural al contacto del agua. Úsese el agua que quede después de sacar la planta para rociar las esquinas de la puerta del frente de la casa, para ahuyentar las malas influencias, trayendo al hogar la paz, poder y abundancia. Recomienda a tus amigos la Rosa de Jericó: ella te devolverá el bien que le haces, propagando tu Fe. Recuerda a Cristo que dijo: "Dad gratuitamente lo que de dios recibís gratuitamente".*

Oración a María Piedra de Imán

María Piedra de Imán, encantadora y mineral que con las Samaritanas anduviste, hermosura y nombre le diste, suerte y fortuna me traerás, imán: triste imán, será para resguardo, conmigo estás. Te pido oro para mi tesoro, plata para mi casa y cobre para yo darle a los pobres y, como foco de lumbrera que fuiste de la Santísima Virgen María, quiero que seas de la choza mía, centinela de mi hogar y de mi personalidad. Yo quiero que mi casa sea próspera y feliz y que la buena estrella me guíe y alumbre mi camino, préstame tu magia bienhechora, quiero que me prestes tu talismán, quiero tener poder y dominio para vencer a mis enemigos, quiero que la buena estrella me guíe y alumbre mi camino. En recompensa de lo que Tú me das, yo te daré la cuenta ámbar, la cuenta de azabache, unos granitos de coral para que me libres de la envidia y de todo mal, te daré limadura de acero para que todo me sobre y aumente mi rico sendero, te daré trigo para vencer a mis enemigos, incienso y mirra por el aguinaldo que le dieron los tres Reyes a Jesús amado y daré a las tres potencias por la virtud de la piedra de Imán tres credos por primera y por segunda siete salves y por tercera cinco Padre Nuestro y cinco Ave María, alabando al Señor en este santo día y diciendo gloria a Dios en las alturas y en la tierra paz a todos los seres de buena voluntad, pan bendito de Dios sagrado que satisface mi ama y limpia mis pecados. Carbón bendito, luz de mi hogar, esto le doy a la bendita Piedra de Imán.

Haga su petición, persígnese.

Oraciones espirituales

Oración Espiritual

Este hogar está bajo mi protección

Divina Providencia: Tú que eres el autor de todo lo creado, sin cuya voluntad nada se mueve, recurro a ti en estos momentos de vacilación para que me guíes y me protejas en contra de los espíritus tentadores y envidiosos. Ángel de mi Guarda: no permitas que yo, siendo inocente pueda ser víctima, ni pagar culpas que no he cometido solamente por satisfacciones que quieran experimentar los espíritus falsos y opresores. Mi espíritu guía: si algún enemigo material, aguijoneado por la envidia pretendiese levantar su mano para herirme o pronunciar una palabra para humillarme por medio de la calumnia, desviad su mano y su pensamiento para que arrepentido de su falta me pida perdón, que yo le perdonaré y rogaré a Dios por su salvación. En nombre de Dios Todopoderoso, ruego al Ángel de mi Guarda y a mis Espíritus Protectores que me libren de malas influencias y de las malas tentaciones, que los espíritus falsos y seductores no tengan entrada en mi persona ni en mi casa y que los Espíritus de Luz me sirvan de escolta. Gran Poder: Que esta Oración en la puerta de mi hogar sirva de muralla para todos mis enemigos materiales y espirituales y que vuestra Divina Gracia nos cubra con su manto. Amén, Jesús.

Oración al Brazo Poderoso

Venerado en la Parroquia del Pilar

Brazo Poderoso, Jesús Divino; hoy que embarga mi alma una pena, rasgándome el pecho la desesperación, vengo a Ti ya por la excelsa virtud de tu superioridad, compenetras todos los corazones y en el dominio del fuero interno, sabes entender lo que pasa y hasta donde me corresponde la culpabilidad. Brazo Poderoso, Tú que antes de llegar a la inmortalidad de tus divinas alturas pasaste por la tierra y estudiaste las flaquezas de los que fueron hechos (sin embargo, por la divina mano), para buscar su redención, te expusiste a toda suerte de dolores y sacrificios, regando la tierra con tu sangre y tus sublimes doctrinas y enseñanzas, acoge hoy mi ruego y recibe en tu corazón, moldeado para todas las grandezas y lleno para conceder a los que, envueltos en olas de infortunios, buscan tu alivio, recibe mi ruego fervoroso y este impedimento que de rodillas, ante tu imagen y con los ojos encendidos por la suprema fe, te hago.

Aquí se pide lo que se desea. Se rezan tres Credo, tres Padre Nuestro y una Salve a la Madre de Jesús. Esta oración se hace tres días seguidos en la iglesia ante la presencia del venerado milagrosísimo Señor del Brazo Poderoso. A los nueve días se repite en la misma forma y el consuelo llegará al pecho peticionario.

Oración a la Mano Poderosa

Aquí vengo con la fe de un alma cristiana a buscar tu misericordia en situación tan angustiosa para mí. No me desampares y la puerta que quiera abrirse en mi camino, sea tu mano poderosa la que me cierre para no entrar en ella si no me conviene, o me la dejes abierta si ha de volver mi tranquilidad tanto tiempo deseada. A tus pies dejo esta súplica que te hace un alma obligada por el destino a grandes sufrimientos, que ya no puede combatir si tu mano poderosa no detiene la ley de la razón. Que sea yo un buen cristiano haciendo buenas obras y de esa manera poder tener derecho a recibir algo desde el infinito, siempre que lo merezca. Dios mío, perdona los desaciertos que he cometido durante esta existencia, la cual llevo de frente, dame fuerzas para soportar las amarguras de esta vida.

Rezar esta oración después de hacer la súplica que se desee. Al terminar, reza un Padre Nuestro. Esta oración se hace durante 15 días seguidos y a los ocho se alcanza lo que se desea, por difícil que sea.

Oración del Alma

Esta oración se llama del Alma porque emana de la propia alma y va a relacionarse con el plano invisible.

Dios mío, perdona esta alma que está vagando por las tinieblas de la ignorancia. Padre mío, ilumina el sendero de la ignorancia. Padre mío, ilumina el sendero que ha de seguir esta alma como divisa. Hermano que estás perdiendo el tiempo, oye mi voz que te dicta para beneficio de tu progreso. Hermano que irradias mi materia con tus fluidos, deseo que no persistas en esta tentación. Dios mío, dale a este hermano un átomo de comprensión para que su espíritu reciba una lección, así también, vos Padre Celestial, perdóname si yo he cometido alguna falta en contra de él. Espero ir al reconcilio espiritual con este hermano invisible. Deseo que él se dé exacta cuenta que es un espíritu y que está llamado a progresar por el sendero del bien. Hermano, espero que te decidas por tu progreso y que te des exacta cuenta de la obra que estás haciendo. Deseo que, desde este instante en adelante, pienses de otra manera muy distinta. Deseo que tu guardián te dé una estela de luz. Dios mío, si este Hermano viene conmigo en tendencias, yo deseo que Vos, como Ser Supremo le perdones toda idea que este hermano haya transmitido contra mi persona. Tu hermano en la tierra orará por tu espíritu.

Tres Padre Nuestro para tu Alma durante nueve días.

Oración del Indio

Oh, gran cacique, fidelísimo Espíritu Indio celador de tu morada. En el nombre del Padre, del Hijo y del Espíritu Santo; yo, fiel creyente de tu poder, te invoco en este momento, ya que Tú, Gran Espíritu Indio, conoces las aflicciones de mi materia para que intercedas con nuestro Padre Eterno y me brindes tu santa y divina protección. Oh, Gran Espíritu Indio, Tú que eres el encargado de brindarme protección, te pido en el nombre de Jesús, que con tu hacha de piedra rompas las malas cadenas que mis enemigos me tiendan, materiales y espirituales. Con el veneno de tu flecha, oh Gran Espíritu

Indio, destruyas los malos pensamientos que en contra de mí vengan. Oh, Gran Espíritu Indio, con tus ojos de águila vigila mi sendero. Que no haya brujo, cirio, lámpara ni mal pensamiento que pueda hacerme daño corporal o material. Oh, Gran Espíritu Indio, te dedico esta luz en pago de tu protección para luz y progreso de tu santo espíritu.

Tres Padre Nuestro al Gran Poder de Dios.

Oración al Espíritu Kongo

Oh, glorioso espíritu negro, que por tu virtud has alcanzado de Dios la Santa Bendición y has llegado hasta la corte celestial para rodearte de Ángeles, Arcángeles y Serafines. Yo, admirador tuyo por tu fuerza, conocimientos y tu gran benevolencia, te pido en el nombre de Dios radies mi cuerpo con tus santos fluidos para alejar de mí los malos pensamientos que quieran enviarme mis enemigos. Líbrame, oh, Kongo mío, de toda acechanza de espíritus malos, ata de pies, manos y malos pensamientos a mis contrarios. Oh, gran espíritu Kongo, con tu compañía venceré, con tu fuerza me protegeré, con tus fluidos me bendecirás y con el santo poder que Dios te ha dado, oh, gran Kongo me ayudarás a vencer en la ida. No he de retroceder porque Tú estás conmigo y me ayudarás en todas mis necesidades. Te pido, oh, espíritu Kongo, divino protector, que te dignes guardar los alrededores de mi hogar contra la envidia, los celos y la mala fe. Líbrame, Kongo mío, de toda mala influencia y no me abandones en el olvido.

Te enciendo esta vela perfumada para que perfumes mi cuerpo, mi hogar y todo lo que a mí pertenece.

Oración a la Madama

Yo invoco a la sublime influencia de tu santo espíritu, oh, Madama, como mi protectora y por la virtud que Dios te ha dado, a Ti te entrego todas mis necesidades para que me brindes tu amorosa protección. Que seas Tú la que me libres de todo mal y proveas la felicidad en mi hogar, y que brille la luz de Dios en todos mis pensamientos. Que me libres de tormentos para el resto de mi vida y que mis enemigos me pidan perdón por el mal que me han hecho. Que mi camino sea recto para hacer la caridad, que en justicia y verdad tu espíritu me aconseje y que de los malos me alejes por toda la eternidad. Con albahaca mi cuerpo voy a perfumar para así poder entrar en todo mi entendimiento, pasote para azotar todos los malos pensamientos, mejorana que da aliento para poder mejorar con éxito la suerte mía. Menta para que me des luz a la mente y me ordenes lo que debo hacer y me ilumines al prender una luz para ti. Que me hagas feliz concediéndome lo que te pido. Que no me dejes en tu olvido y siempre estés junto a mí. Oh, Gloriosa y Bendita Madama, bajo tu amparo me acojo. Amén.

Tres Padre Nuestro al Espíritu Santo para luz y progreso de mi hogar y mi familia.

Oración del Perdón

"¿Cuántas veces perdonaré a mi hermano? Le perdonaré, no siete veces, sino setenta veces siete veces". Aquí tenéis una máxima de Jesús que llamará vuestra atención y hablará muy alto a nuestro corazón. Fijaos en esas palabras de misericordia de la creación tan sencilla, tan resumida y tan grande en sus aspiraciones que Jesús da a sus discípulos, encontraréis siempre el mismo pensamiento. Y responde a Pedro: "Tú perdonarás pero sin límites, Tú perdonarás siempre cuanta ofensa te hagan, Tú enseñarás a tus hermanos ese olvido de sí mismo que les hace invulnerables contra el ataque, los malos procederes y las injurias, Tú serás benigno y humilde de corazón, no midiendo nunca su mansedumbre, tú harás en fin lo que deseas que el Padre haga por ti". Perdonad, sed indulgentes, caritativos y hasta pródigos de vuestros años. Dad porque el Señor os dará, perdonad porque el Señor os perdonará, bajaos, porque el Señor os levantará, humillaos porque el Señor os hará sentar a su derecha. Espiritistas, no olvidéis nunca que, tanto en palabras como en acciones, el perdón de las injurias no debe ser una palabra vana; si os llamáis espiritistas, sedlo pues; olvidad el mal que os han podido hacer y no penséis sino en una cosa, el bien que podáis hacer. Dios sabe lo que mora en el corazón de cada uno, feliz pues, aquel que todos los días puede dormirse diciendo: "Nada tengo contra mi prójimo". Perdonar a sus enemigos, es pedir perdón para sí mismo, perdonar sus amigos es darles una prueba de amistad, perdonar las ofensas es reconocer que uno se vuelve mejor, perdonad pues, amigos míos, a fin de que Dios os perdone. Amén.

Oraciones dominadoras

Oración a las
Nueve Almas de Lima

Esta vela que estoy encendiendo, en nueve días se consumirán las almas que invoco, me protegerán por su mucho poder y todo cuanto les pida me lo han de conceder. Padre Nuestro, Ave María y Gloria. Almas angustiadas, moved el corazón de .... para que su corazón lleno de amor hacia mí se acuerde y todo cuanto tenga me lo venga a dar.

Padre Nuestro, Ave María y Gloria.

Almas las que sus cuerpos a traición mataron, infundid en el corazón de .... para que se le quite todo rencor y mala voluntad, que no piense nada más que en mi cariño con la mayor humildad y todo su anhelo sea para mí y hacerme feliz.

Padre Nuestro, Ave María y Gloria.

Almas que murieron cautivas de amor, mirad los pesares que estoy sufriendo, desde la mansión en que los halléis, haced que los cautivos no sean mis enemigos, que el rencor pase a ser cariño y al instante todo se vuelva felicidad.

Padre Nuestro, Ave María y Gloria.

Almas que murieron haciendo bien a la humanidad y en recompensa estáis viendo la cara de Dios, infundid en el corazón de mis contrarios la paz, quitadle la ilusión y mala voluntad y que sus propias bocas confiesen el error en que han estado, me pidan perdón y salga yo en bien de la empresa tan grande como la que voy a emprender.

Padre Nuestro, Ave María y Gloria.

Almas que murieron inocentes de todo delito, por vuestro padecer, sin culpa, libradme de toda traición y velad sobre mí para que mis enemigos y contrarios no me puedan hacer daño alguno y el que intentare hacérmelo, algún tormento de vuestro poder se lo quite del pensamiento.

Padre Nuestro, Ave María y Gloria.

Almas que moristeis en vuestras camas, mirad los pesares que estoy sufriendo y desde la mansión en que os halléis viviendo con tranquilidad y reposo para que saliendo del pensamiento de mis enemigos y contrarios, vengan a darme una satisfacción y sin saber cómo, me tomen tan crecido amor y con unos lazos tan fuertes que sólo desunir pueda la muerte.

Padre Nuestro, Ave María y Gloria.

Almas todas las que en el Purgatorio estáis, os invoco por mis protectores para que cuanto antes salgan de mi corazón tantos sustos y tormentos y en su lugar venga la tranquilidad.

Padre Nuestro, Ave María y Gloria.

Almas de mi evocación, traedme lo que quiero y solicito de la Santa Madre Iglesia, protegedme, interceded por mi espíritu alado para que, cuando los acuse, me sirvan lo mismo de noche que de día y en todas las obras que emprenda salga triunfante.

Padre Nuestro, Ave María y Gloria.

No debe usted entretener a estos seres con lectura frívola. Léase la oración para las almas que sufren y piden oraciones y la oración para sus guardianes, guías y protectores.

Haga su petición. Persígnese.

Oración del Yugo Ligero

Venid a mí todos los que estáis trabajados y yo os salvaré. Traed mi Yugo sobre vosotros y aprended de mí, que manso soy y humilde de corazón y hallaréis reposo para vuestras almas. Todos los sufrimientos, miserias, desengaños, dolores físicos y pérdidas de seres queridos encuentran un consuelo en la fe del porvenir, en la confianza y en la justicia de Dios que Cristo vino a enseñar a los hombres. Para el que nada espera después de esta vida o que simplemente duda, al contrario, las aflicciones caen sobre él con todo su peso y ninguna esperanza viene a endulzar su amargura. Esto es lo que hizo decir a Jesús: "Venid a mí, todos los que estáis trabajados y cargados y yo os aliviaré". Sin embargo, Jesús pone una condición a su asistencia y a la felicidad que promete a los afligidos, esta condición está en la Ley que enseña, su Yugo es la observación de esta Ley, pero aquél es ligero y éste suave, puesto que impone por deber el amor y la caridad.

Oración al Ángel Conquistador

Santo Ángel de la Guarda de.............., que gusto no tenga hasta que a mi casa no venga, santo nombre de.............., tranquilidad no le des hasta que a mi lado esté. Santo, ¡oh!, santo de mi nombre y devoción, que me tome mucho cariño e ilusión. San Salvador de Horta, que se contente conmigo es lo que importa. Ánima de San Juan Minero, que me quiera como yo lo quiero. Santa Inés del Monte Perdido, devuélveme el cariño de .... que se ha ido. Espíritu, cuerpo y alma de ...., que desde este momento no tenga más gusto, más ilusión que para mí. Espíritu, cuerpo y alma de ...., que su amor, su cariño, su fortuna, sus caricias, sus besos, todo sea para mí, que todo él no sea más que para mí. Cuerpo y alma de............., no has de ir a ver ni a querer a ninguna otra mujer más que a mí. Espíritu de San Cipriano, tráemelo. Espíritu de Santa Elena, tráemelo. Espíritu de Santa Marta, tráemelo. Espíritu de la Caridad del Cobre, tráemelo. Virgen de Covadonga, que me traigas ....

Oración al Brujo Hechicero

Brujo Hechicero, aquí te prendo esta vela al revés para que así le pongas la mente a.......... y me lo traigas desde donde esté y que sólo encuentre amor en mí, y no en ninguna otra mujer, que cuanto gane venga a mis manos, para tanto el dinero como él, poderlo yo gobernar, que no pueda siquiera alzar la cabeza para posar sus ojos en otra, que sienta los pinchazos que Tú das a tu brebaje y en el martirio de la carne, que mire hacia atrás y no se encuentre, hacia adelante y no se vea y... que Tabú lo convierta en un guiñapo de hombre si pensara en otra que no sea yo. Que siempre esté como un perro faldero a mis pies.

Al hacer esta oración tomar: palo tártago, café, hedionda, anamú, tabaco en rama, moribibí y tres ganchitos de higuereta. Prender cáscara, china,incienso, mirra, pellejo ajocebolla.

Prender al terminar vela al revés y decir entre dientes: "Haca Yu-Macu" y lo pedido será.

Oración de los Cinco Sentidos

Dios Omnipotente, Padre Misericordioso, Resplandor de Resplandores, Justicia Suprema, Sal de Sales; cinco nombres distintos en un solo poder. Dios y la Naturaleza —una misma cosa— y los Cinco Productos de Este, el hombre con sus Cinco Sentidos para desenvolverse en la vida con el milagro de la Cruz, el Santo Madero que llevó Cristo a sus espaldas para librarnos de todo mal. Son éstos los Cinco Sentidos que quiero dominar en el presente y el futuro, para que cuando yo vea, Él me vea; cuando yo oiga, Él me oiga; cuando yo mire, Él me mire; cuando yo toque, Él toque y cuando yo suspire; Él suspire. Así mis Cinco Sentidos estén atados por Dios en un mismo pensamiento. Dios y la misma Naturaleza.

Un Padre Nuestro.

Oración al Espíritu Dominante

Espíritu Dominante, Tú que dominas todos los corazones, domina el corazón de .... con el poder que tuvo Santa Marta que amansó el Dragón, así quiero que amanses a .... ¡Oh, Espíritu Dominante! Con tu poder que Dios te ha dado haz que .... sea dominado en cuerpo y alma y que no pueda mirar a nadie más que a mí, que su amor y su cariño sólo sean para mí, que mi presencia le sea atractiva, que mi mirada lo sugestione. Espíritu Dominante, domina mis enemigos con tu divino poder que Dios te ha dado. Amén.

Dos Padre Nuestro y Ave María a San Ciro. Para mayor éxito de esta oración haga la novena de San Ciro.

Oración al Espíritu del Desespero

En esta hora de amargura para mi alma agobiada por la incertidumbre, yo te invoco con toda la fuerza y voluntad de mi espíritu, para que te posesiones de los cinco sentidos de...... subyugándolo a mi exclusiva voluntad y que sólo a mí dedique su fe, amor y fidelidad. Ven, ven, espíritu del desespero, oye esta súplica que te imploro en el nombre del Padre, del Hijo y del Espíritu Santo. Amén.

Se recomienda hacer lámparas con aceite de Siempre Vivos que trae la Flor Dentro.

Oración del Judío Errante

¡Oh, Judío Errante de los amantes! Según Tú entraste en el templo de Jerusalén y apagaste la lámpara del Santísimo Altar, así yo quiero que te metas en el corazón de .... y no me lo dejes comer ni dormir ni estar tranquilo, hasta que no venga donde mí de todo corazón en cuerpo y alma. Judío Errante, no me lo dejes, ni en silla sentado ni en cama acostado ni en sitio parado, que por donde quiera que vaya oiga mi voz y vea mi sombra y que según de campanazos den las campanas de la Iglesia, sean debatidos en el corazón de ...., Judío Errante, no me lo dejes vivir con nadie, que sea yo quien me le presente en el sueño y me le ablande el corazón solamente para mí y para más ninguna mujer.

Tres Padre Nuestro, tres Ave María.

Use el escapulario del Ángel Guardián para que lo proteja contra todo lo malo.

Oración a los
Siete Espíritus Intranquilos

¡Oh! Siete Espíritus Intranquilos, Sugestivos y Dominadores, Vos que en el infierno estáis y al Cielo no podréis entrar por vuestros lazos con Satanás, conseguidme lo que os pido por el poder del hombre, me tenéis que conceder por las veintiuna lámparas que os ofrezco para que me concedan lo que os pido. A vosotros, que nadie os llama, nadie os quiere, yo los necesito, les quiero y les llamo. Oídme. Oídme bien. Espero que se posesionen de los cinco sentidos de ...., lo intranquilicen y lo sugestionen y lo dominen y no lo dejen de estar tranquilo, que ni en silla pueda sentarse ni en mesa comer ni en cama dormir, que ni con blanca ni negra ni china ni mulata ni casada ni soltera pueda asociarse ni acostarse. Que corra, corra y corra y nadie le socorra hasta que tenga que venir a pedirme perdón a mis pies. ....
son las doce y todavía no has venido donde mí, pèro tienes que venir porque los Siete Espíritus Intranquilos, Sugestivos y Dominadores, te han de traer, porque así lo pido yo. ¡Oh! Siete Espíritus Intranquilos, Sugestivos y Dominadores, id a donde quiera que.............. esté,

intranquilícenlo de tal manera, que donde quiera que esté tenga que venir a donde mí antes de los 21 días y quedarse conmigo. .... yo te conjuro y juro que has de estar desesperado como el agua del mar y que tienes que venir a donde mí y andar detrás de mí, como perro de su amo, como vivos detrás de la Cruz y los muertos detrás de la Luz. ¡Oh!, Siete Espíritus Intranquilos, Sugestivos y Dominadores, traerme a ....

Se dan tres patadas en el piso y se dice: "............. ven a donde mí".

Se rezan cinco Padre Nuestro y cinco Ave María y no se dice Amén.

Oración al Espíritu Intranquilo

Antes de hacer esta oración hágase las de su Ángel Guardián

Espíritu Intranquilo, espero que corras y te le metas en el corazón de....., no lo dejes ni en silla sentarse ni en mesa comer ni en cama dormir, que se halle desesperado como las aguas del mar, que corra, que corra y nadie lo socorra hasta llegar a mis plantas y no ponga su atención en ninguna clase de mujer ni viuda ni soltera ni casada. ...., yo juro a Dios y a una Santa Cruz que tienes que andar detrás de mí como los vivos detrás de la Cruz y los muertos detrás de la Luz.

Oración a San Juan de la Conquista

San Juan de la Conquista, San Juan de la Calle. Según te atreviste a entrar en la Casa Santa de Jerusalén y apagar la lámpara del Sacramento del Altar, entra por siempre en los cinco sentidos de... y no lo dejes pensar en nadie, ni en cama acostarse y que no tenga un momento de tranquilidad ni de reposo, hasta que venga vencido a mis pies. Amén.

Se prenderá una lámpara de aceite por nueve días.

Oración a San Juan Trastornado

Antes de hacer esta oración pídale a su propio Guardián que le dicte en su propia mente si debe o no hacer esta oración. Si se arrepiente no la haga, pues no tendrá beneficio en lo que usted desea.

Tú, que poder tuviste para trastornar a tu esposa, así yo te conjuro para que me le trastornes los cinco sentidos y siete pensamientos de .... (*Ahí se dan tres zapateadas para llamar a* ....). Por el poder omnipotente de Belcebú Artaclán, tres espíritus infernales superiores a todos los demás espíritus. Ellos serán los que lean, interpretarán en el cerebro, el corazón y el pensamiento de ...., para que no me lo dejen ni en silla sentar ni en cama dormir ni con mujer casada, viuda o soltera hasta que no bravo, rabiando como un perro, llegue a mí, manso como una oveja a los pies míos. Yo ....

Oración al Espíritu del Odio

¡Oh!, Santísimo Espíritu del Odio, oíd mis plegarias en este momento de desgracia para mí. Deseo que infundas en mi persona un odio eterno hacia..., que jamás pueda recordar... y que en el resto de mi vida desaparezca de mi presencia. ¡Oh! Santísimo Espíritu, haced que nazca en mi corazón un odio mortal así como odió Artaro a Belcebú para que su presencia me sea repulsiva.

Se reza esta oración frente al cuadro de San Caralampio, acompañada de cinco Padre Nuestro y Ave María.

Sortilegio y Oración a los Siete Nudos

Se toma una cinta o cordón que sea lo suficientemente largo para hacer siete nudos a distancia de una pulgada uno de otro, más o menos.

Se hace el primer nudo en la mitad de la cinta o cordón y se dice en voz baja:

"Con este Primer Nudo amarro y rodeo la persona de... para que quede dentro del Círculo Cabalístico en que la encierra desde este momento la fuerza de mi voluntad y cariño".

El Segundo Nudo se atará hacia la derecha del primero a la distancia de una pulgada más o menos, diciendo:

"Este Segundo Nudo ligará la voluntad de... a la mía con toda la fuerza de que es capaz una liga de hierro y no hará ni obrará en manera alguna que no sea conforme a mis deseos".

Hacia la izquierda del primero de ata el Tercer Nudo mientras se dice:

"Con este Tercer Nudo, yo amarro tu cariño y lo sujeto firmemente al mío y no podrás quebrantarlo aunque lo intentares, ni lo romperás ni podrás desatarlo mientras yo no quiera que su fuerza sea debilitada".

Hacia la derecha se hace el Cuarto Nudo y se va diciendo muy despacio mientras se amarra:

"Tu pensamiento va a quedar enteramente sujeto al mío y nunca podrás apartar de tu mente la imagen de mi persona que te perseguirá amorosa por donde quiera que estés o vayas, pero que mis amores y mis justos deseos se vean cumplidos como ahora lo exijo y lo demando por la fuerza de este Sortilegio Secreto y de mi ferviente Oración que dedico al Señor San Antonio Bendito para que sea mi abogado en lo que deseo con sinceridad, con justicia y sin intenciones malas".

Al hacer el Quinto Nudo al otro lado se dirá:

"Con este Quinto Nudo aprisionaré tu alma y no podrás ni lamentarás nada en amores con ninguna otra persona y tu alma entera la consagrarás a mi cariño y a mi felicidad".

Hacia la derecha se hace el Sexto Nudo con estas palabras:

"Tus palabras, tus pensamientos, tus hechos, tus deseos serán siempre desde hoy para mí y a ella te obligaré por medio de este bien intencionado Sortilegio Secreto y este Nudo que hago".

Se hace el Séptimo y último nudo y se dice:

"*El tuo amore meo est*" y con este Nudo cerraré el círculo en que te encierro dentro del Círculo Cabalístico que formará esta Mágica Cinta. Con él, circundaré tu corazón, con él amarraré tu alma, con él, tu persona entera quedará ligada a mi persona con los Siete Nudos del amor y seremos desde hoy en adelante el uno para el otro y nada ni nadie podrá romper, interrumpir o quebrantar nuestra felicidad".

Con el último nudo se atará los extremos de la cinta o cordón, quitando o desechando lo que sobre, de manera que se formará un lazo o un círculo y del último nudo y ligadura céntrica se pondrá una cabecita de plata, ya sea de hombre o mujer, la cual servirá para simbolizar que dos almas, dos pensamientos y las voluntades de dos personas se han recogido en un alma sola, un pensamiento único y una sola voluntad.

La persona que hace el Sortilegio podrá colocarse, a manera de liga, este lazo o cinta en el brazo izquierdo hasta donde pueda colocarlo durante siete noches alternadas, es decir, una noche sí y otra no, y al levantarse al día siguiente lo guardará en un lugar secreto como Sortilegio favorable a sus amores dedicándolo a San Antonio y a la Santísima Virgen del Pilar, formando un pequeño altar donde estén los dos Santos uno al lado de otro.

Ofrézcase un corazón de plata atravesado por un puñal del dolor y póngase también tres crucecitas de celuloide negro.

Oración al Tabaco y los Espíritus Benéficos

Norte, Oriente, Sur y Naciente

Ofrezco esta oración a los Espíritus Benéficos por el Santo Ángel de la Guarda de ...., por el santo día en que nació, por los cuatro vientos, sendas y lugares en que se encuentre .... esté pendiente de mí, me quiera y no me olvide. Espíritu de la Fuerza, para que le des fuerza a ...., que me quiera y venga donde yo estoy. Espíritu de las Ilusiones, que las ilusiones que tenga .... me las pases a mí. Espíritu del Desespero, para que el desespero de .... sea por mí. Espíritu del Brillo y del Dinero, para que traigas dinero a mi casa y que lo pongas en mis manos. Espíritus Benéficos, aquí les entrego cuerpo, alma y voluntad de... No lo dejen comer ni dormir ni beber ni andar ni trabajar sin el pensamiento puesto en mí, que me llamo...

Al hacer esta oración concéntrese y fume un cigarro.

Oración al Maravilloso Ajo

Milagroso Ajo, que fuiste puesto en el Monte Calvario donde Jesús murió para darte eterna Luz, líbranos de todo mal. Líbrame de cárceles y demonios, cuando mis enemigos intenten matarme o herirme, que sus ojos no me vean, que sus pies no me alcancen, que sus manos no me agarren, que las ramas de fuego no disparen, que los cuchillos se desvíen y que el mal no me persiga. Milagroso Ajo de la Bondad, retírame envidias, apártame de los enemigos, ayúdame en mi trabajo o negocio, asegúrame del cariño de los que me rodean, así sea, así sea así será.

Oración del Buen Camino

Mensaje de buen augurio

Yo invoco la sublime influencia del Padre Eterno, para obtener éxito y adelanto en todos los asuntos de mi vida y para alternar todas las dificultades que haya en mi camino. Invoco la ayuda del Espíritu Santo, para que la Buena Estrella alumbre mi camino y espante la mala sombra que me siga. Invoco a Dios de las Alturas, para que mi casa prospere, mi empresa y mi persona reciba un mensaje de buena suerte enviado por la

Divina Providencia. ¡Oh, Gran Poder Oculto!, imploro tu suprema majestad para que me apartes del peligro en el momento preciso y para que mi Camino se vea iluminado por el Faro de la Fortuna. Yo recibiré las infinitas bendiciones del Cielo. Creo en Dios Padre Todopoderoso. Amén.

Budah Otei

Dios oriental de la felicidad

¡Oh, Misterioso Espíritu que diriges todos los hilos de nuestra vida! Desciende hasta mi humilde morada, ilumínate para conseguir por medio de los secretos azares de la Lotería, el que ha de darme Fortuna y con ella la Felicidad y el Bienestar de mi familia. Cobre con tu poder y sabiduría todas mis necesidades y no permitas que mis enemigos puedan hacerme daño. Dios del Oriente, ilumíname con la misma intensidad que iluminaste tu pueblo y quita de mi camino todo obstáculo que mis enemigos traten de ponerme.

Oración de la Santa Cruzada para los Enemigos

Te adoro Cruz Bendita, Estandarte Venturoso donde murió el Rey Glorioso. Vencedor del enemigo, por ti, Santísima Cruzada, merced le pido me libre de ser vencido, de una honra mala y fatal, por ti, Cruzada, pido que si en este día o en esta hora hubiese mala influencia contra mis enemigos, procuraran la Virgen Santísima y el Espíritu

Santo me libren y poder de Dios, por el Santísimo Sacramento se vea alumbrada mi casa, ruegote Virgen y Madre de Dios, que con el velo negro con que fuiste cubierto sea yo tapado y con el Santo Sepulcro sea yo sepultado y con el alma de Nuestro Señor Jesucristo sea yo armado, para que mis enemigos y contrarios se retiren "tres pasos atrás", que al decir yo el nombre de la Santísima Cruzada, hombres y animales se rindan y aún como se rindió el demonio al Ángel San Miguel, como se rindieron los judíos al Hijo de Dios y permita la Virgen Santísima y Madre del Amor Hermoso que un aviso que dé yo en nombre de la Santa Cruz de los enemigos invisibles de mi lado se ausenten y sus malas intenciones no lleguen a mí. Amén.

He aquí la Santa Cruzada del Corazón de Jesús que me defiende de tempestades, de maldades y de malicias de mis enemigos y me conduce por el camino glorioso por donde caminan las nobles almas guiadas por este valle de lágrimas por el divino Jesús, Divino Maestro salvador de las almas buenas. Me arrodillo ante la imagen Sacratísima del Altísimo en esta hora contrición y retiro, mi alma puesta en la mansión del Salvador para ser redimida de todos los pecados y todas sus pasiones. Amén.

Debe rezarse un Padre Nuestro y un Ave María terminando esta oración. Haga su petición. Persígnese.

Oración para Dominar un Enemigo Oculto

Con dos te veo, con tres te ato, la sangre te bebo y el corazón te parto. Cristo reina, Cristo vence, Cristo de males nos defienda, ..., eres dominado por las fuerzas de San Juan, dominado por la espada del Arcángel San Miguel, atormentado por el ánima sola y así no podrá llegar tu mal pensamiento hasta mí. Amén.

Tres Credos a Nuestro Señor Jesucristo.

Oración del Retiro

Ánima del Retiro, yo te invoco, yo te llamo para que con tu gran poder me retires a (*Nombre*), llévate a mis enemigos a la región del olvido con este cirio negro que yo te prendo. Ánima del Retiro, cuando yo te pida me lo concedas, por eso te alabo y te bendigo y todo lo que yo te pida me será concedido.

Oración del Muerto

Muerto, tú que te hallas en el cementerio con tu cuerpo, yo llamo a tu espíritu y le digo: necesito el pensamiento del que desea mal para mí, que no me miren ni me ofendan las palabras que fueron acumuladas sobre ti. Muerto, yo deseo eternamente no me falte el Vino para mi cuerpo, el Pan para sostener mi materia y la bendición del Padre para fortaleza de mi alma. Vi a los espíritus intranquilos y a los que hacen mal para mí. Virgen María, Madre de Jesucristo, socórreme en el peligro que me veo y las lágrimas que derramaste por tu Hijo adorado Jesucristo, que sea sangre de mi cuerpo para que los brujos y hechiceros no me maten ni me vean, que la corona de espinas que le pusieron a Jesucristo que sea el paño que cubra a mis enemigos. Los paños que envolvieron a Jesucristo que envuelvan a mi alma, el que desee mal para mí, que no me cause, que la espada de San Blas sea la defensa de mi cuerpo y que las cadenas de San Miguel Arcángel sean para amarrar a mis enemigos. Veo a los espíritus intranquilos y a los que hacen mal para mí. Los clavos con que clavaron a Jesucristo, uno lo tiro al mar para que los golfos y las olas se extiendan sobre él y destrone todos los malos pensamientos que deseen hacerme mal. Amén.

Oración de la Puerta

Divina Providencia, Tú que eres la autora de todo lo creado, sin cuya voluntad nada se mueve, recurro a Ti en estos momentos de vacilación para que me guíes y me protejas en contra de los espíritus tentadores y envidiosos.

Mi espíritu guía, si algún enemigo material, aguijoneado por la envidia, pretendiese levantar su mano para herirme o pronunciar una palabra para humillarme por medio de la calumnia, desviad su mano y su pensamiento para que, arrepentido de su falta, me pida perdón, que yo, le perdonaré y rogaré a Dios por su salvación.

Ángel de mi Guarda, no permitas que yo, siendo inocente, pueda ser víctima ni pagar culpas que no he cometido, solamente por satisfacciones que quieran experimentar los espíritus falsos y obsesores. En nombre de Dios Todopoderoso, ruego al Ángel de mis Guarda y a mis espíritus protectores que me libres de malas influencias y de malas tentaciones, que los espíritus falsos y seductores no tengan entrada en mi persona ni en mi casa y que los Espíritus de Luz me sirvan de escolta.

Gran Poder, que esta oración en la puerta de mi hogar sirva de muralla para todos mis enemigos materiales y espirituales y que vuestra Divina Gracia nos cubra con su manto. Amén, Jesús.

Oración de Paz para los Hogares

Paz, Señor, soy unos de los mortales que tal vez ande más oscurecido en mi camino, por consiguiente, podré ser guiado y no guiar. Pero de tu grandeza todo se espera, quiero como pan de mi hogar la paz, como de los pobres la paz, como de los tiranos y enemigos la paz, que en nuestros cerebros brille y que arropados todos, bebamos de la misma fuente, para que restablecidos, nuestros espíritus sólo den la paz, tranquilidad y armonía y podamos transportar al mundo lo bello. ¡Oh!, paz sagrada que huye de nuestros corazones con el peso de nuestras culpas, no nos abandones, sabemos que el espíritu de Dios es el espíritu de paz. Cúbrenos con el velo de tu gracia y el resplandor de tu magnificencia. Gloria a Dios en las alturas y paz entre los hombres de buena voluntad.

Oración a la Herradura

Por la Santísima Trinidad, Herradura, yo te bautizo en el nombre de Dios Padre Dios Hijo y Dios Espíritu Santo. Dame suerte, salud y dinero, cuando por el monte anduviste, Señor Santiago, entre espinas y abrojos y a los enemigos les vendaste los ojos con tu gran poder que tienes: quiero, así como pusiste a tu caballo esta Herradura y que con ella te libraste del campo de batallas, así quiero que ese gran poder que Dios te ha dado, que esta

Herradura me dé suerte, y dinero. Jesús, recordando estoy también todas estas santas cosas y más que todas ellas fueran santamente cumplidas. Este deseo que pienso en estos momentos, que esta Herradura de Imán, muy poderosa, tenga convertidas todas las virtudes y prodigios, con la Herradura pueda hacer cuanto yo quiera, me será fácil salir de cualquier parte sin que nadie lo sepa o lo note siquiera, conseguir dinero y honores, lograr que me amen todas las personas que yo quiera, líbrame de todo y ponme a salvo de mis enemigos y todo acontecimiento fatal de mi vida; todo esto lo creo como si lo estuviera viendo por tus incomparables virtudes. Amén.

Oración para separar a Dos Personas

Ofrezco e invoco esta oración del Espíritu del Odio al Ángel de la Guarda de (*nombre de él y nombre de ella*), para que infunda en estas personas odio y separación y haga que nazca en cada uno de ellas, odio mortal y que jamás pueda el uno recordar el nombre del otro sin sentir odio, que los olores que compartieron juntos sean repugnantes para (nombre de él y nombre de ella), que los momentos que compartieron sean desagradables, que si se encuentran no se vean y si se hablan no se entiendan. Invoco al Espíritu del Camino para que separe las rutas de (*nombre de él y nombre de ella*). Amén.

Oración al Glorioso Elegua

A Ti, Señor de los Caminos, Guerrero Ilustre, Príncipe Inmortal, elevo esta humilde oración: aparta de mi casa el mal y guarda en mi ausencia o presencia cuando esté despierto o dormido, y acepta mi ruego diario al gran Olofi pidiéndole para Ti lleno de amor.

Oración del Rey Molinero

Rey Molinero, bendito, puro y sagrado, bendito sea con la fuerza que fuisteis llamado, con esa misma llame a mis enemigos en nombre de Dios, las Tres Divinas Personas, Padre, Hijo y Espíritu Santo con esas tres palabras benditas llame yo a mis enemigos para que vengan humillados a mis plantas como fue humillado Satanás a los pies de San Miguel. Los once mil rayos del Sol radien los cinco sentidos de mis enemigos, sumergiéndolos como fue sumergida la esponja en hile y la sal al agua, y que las malas intenciones que vengan en mi contra sean rechazadas con el Vástago de San Pedro, y con la llave sean abiertos los cinco sentidos de aquellos que tengan ojos y no me vean, corazón tengan y no sea yo prisionero, sentidos tengan en mí no piensen, pies tengan y no me sigan, cuchillo y no corten, carabina tengan y se les llene de agua, boca tengan y no hablen y en el manto de María Santísima sea yo cubierto y el Sacramento del Altísimo sea mi compañía. Amén.

Todo el que lleve esta oración, no le llegarán brujas ni fluidos de espíritus inhumanos y todas las cosas del Demonio, serán dominado diciendo:

La hostia y cáliz traen las manos para que comamos los dos y el resto que queda es para ensarte con las palabras de Dios, y el Santísimo Manuel y la Santísima Trinidad vengan y callen las malas lenguas de mis enemigos, sea hombre o mujer, que quieran hacerme daño y que sean llevados al pie de la Santísima Cruz como fue llevado Nuestro Señor al Calvario y con el paño con que secaron el sudor de Jesucristo sea la consagración de esta oración. Amén.

Padre Nuestro, Ave María.

Oración de la Ruda

Ruda bendita, poderosa Ruda milagrosa, que en el Monte Calvario, por las lágrimas de Magdalena derramaste, lágrimas por mí tráeme rendido a mi querido .... Me hago este baño, dadme suerte y el hombre que yo quiero, que sienta amor y desesperación por mí y que sus ojos y sus pensamientos se fijen solamente en mí. Por las gotas de sangre que derramó el Rey de Reyes, te pido derrames en mí dinero y atenciones de mis semejantes, especialmente de .... Tráeme prosperidad al momento de bañarme con esta agua. Es para que derrames sobre mí prosperidad y suerte. Así pido, Ruda Bendita, que me des buenos y bastantes negocios, que entre felicidad y dicha en mi cuerpo y alma.

Para el dinero

Ruda verde y perfumada
que donde quieran tenerte
sea augurio de suerte.
Tu secreto es sin igual
y nunca te faltará nada
no hay comparación alguna,
nos libras de todo mal,
y nos traes la fortuna.

Por eso tu ayuda espero
regando tu agua en mi puerta
para que al estar abierta
entre amor y dinero.

Oración para los Soldados

¡Oh! Dios mío, permíteme que un rayo de luz ilumine las mentes de los grandes dirigentes de las naciones del universo. ¡Oh! Dios mío, permite que la paz se haga en beneficio de todos. ¡Oh! Jesús de Nazaret, ilumina los cerebros de esos hombres que se abstiene de hacer una paz justa y razonable y que esas nubes negras que envuelven a esas mentes sean desvanecidas, Dios mío, y penetre la luz de la razón para el buen entendimiento de esa paz, que tanto anhelamos todos. Haced, Dios mío, que nuestros soldados retornen a nuestros hogares sanos y salvos. ¡Oh! Padre Celestial, haz tu justicia para todos los seres humanos y que todas las madres del universo hagan una justa petición a tu poder inmenso, vos que lo puedes y que sois el Supremo Hacedor de todo lo creado. Deseamos ser oídos en esta súplica ¡oh Dios mío!, para así consagrarnos en el deber que nos legó el Maestro Jesús de Nazaret: "el amarnos los unos a los otros" para que vuelva a brillar la luz de la razón en nuestras almas. Adelante soldados, adelante, que Dios siempre tiene una morada para aquellos que no desearía matar. Mas la ley del destino lo lleva hasta la guerra. Que el Ángel Guardián lo proteja en todas las horas del día y la noche y que pronto, Dios mío, seamos dichosos en una completa armonía universal. Amén.

Toda madre, esposa o familia debe hacer esta oración.

Oración a los Siete Salmos

Yo me ofrezco al Gran Poder de Dios y los brazos de María Santísima y a los Siete Salmos y la Santísima Trinidad, Padre, Hijo y Espíritu Santo. Me ofrezco a los tres cordones con que amarraron los judíos a Nuestro Señor Jesucristo de la Cruz, con estos mismos cordones sean amarrados todos mis enemigos, desde las manos hasta los pies, Jesús, líbrame de artes diabólicos, Jesús, líbrame de una bala vigorosa y de toda arma cortante y líbrame también de las malas tentaciones del demonio. Amén.

Me ofrezco a los Siete Salmos y a los cuarenta y siete Ángeles del Cielo para que mi persona no sea encarcelada ni mis venas corrompidas, para que mis enemigos no me persigan con calumnias ni enredos y que vengan todos humildes a mis plantas, como vino Nuestro Señor al pie de la Cruz a morir. Que ojos tengan y no me vean, manos y no me cojan, pies tengan y no me alcancen y si pensamiento tienen en mí no piensen. Amén.

Oración de los Trece Rayos del Sol

A la una, está el Sol más alto que la Luna.
A las dos, las dos tablas de Moisés en las que escribe
    nuestro Señor Jesucristo.
A las tres, los tres patriarcas
A las cuatro, las cuatro llagas de nuestro Señor.
A las seis, los seis cirios con que alumbraron a Galilea.
A las siete, los siete dolores que pasó María Santísima
    por su hijo.
A las ocho, todas las puertas se alzan con las ocho del
    Paraíso.

A las nueve, mírese amigo y menos nueve enemigos.
A las diez, los diez mandamientos guardaré.
A las once, las Once Mil Vírgenes me acompañaran y
    me guiarán de todo mal camino o peligro.
A las doce, los Doce Apóstoles me acompañarán por
    mi camino.
Preso Satanás , no me toques ni por delante ni por detrás.

> *Haga su petición, persígnese.*

Oración de los Cuatro Vientos

Alma de los cuatro vientos, caballo blanco, caballo prie-
to, el gran poder de Judas. Jesucristo bajó al mundo con
su poder infinito a San Marcos dominó y así, todas las
dificultades he de dominar yo. Glorioso Santo Tobías,
por la pasión del Señor, por las lágrimas de María, concédeme este milagro antes de los cuarenta días. Ruda
victoriosa, serpiente venenosa con el eco de tu voz y con
el eco de la mar, fuera cuantos enemigos tenga y venga
la buena suerte hacia mí.

> *Tres Padre Nuestro y tres Ave María Gloriados. Es tan*
> *eficaz esta oración, que antes de los nueve viernes concede lo*
> *que se pide por difícil que sea.*

Oración al Espíritu Vencedor

Dirigidme, Señor, y mostradme vuestros dones. Dadme
lo que os pido por mediación del Glorioso Ángel Vencedor. Guiadme por el buen camino, guiadme pues, por el
camino recto para poder adorar al que todo lo puede,

dadme salud y fuerza para poder adorar al Altísimo que todo lo dirige, enseñadme a corresponder a vuestras gracias y bendecir vuestro nombre. Concededme, así mismo, como lo hacéis a vuestros fervientes fieles, la perseverancia en la virtud y el consuelo y alivio de todas mis aflicciones y enfermedades. Amén.

Se reza un Padre Nuestro.

Oraciones eucarísticas

Oraciones para antes de la Misa

Es conveniente antes de participar en la Santa Misa, considerar en qué vamos a participar. La renovación del sacrificio de la Cruz y la presencia de Cristo resucitado en el pan y el vino consagrados son una gran gracia para cada uno de nosotros.

Las siguientes oraciones pueden servir para prepararnos interiormente:

Oración a la Santísima Virgen

Oh Madre de piedad y de misericordia, beatísima Virgen María. Yo, miserable e indigno pecador, recurro a Ti con todo mi corazón y afecto, y ruego a tu piedad que, así como asististe a tu dulcísimo Hijo pendiente de la Cruz, así te dignes asistirme a mí, miserable pecador, y a todos los sacerdotes que ofrecen hoy la Misa, aquí y en todo el mundo. Ayúdanos a que sepamos ofrecer un sacrificio perfecto y aceptable a los ojos de la Santísima Trinidad. Amén.

A San José

¡Oh feliz varón, bienaventurado José! A quien le fue concedido no sólo ver y oír al Dios, a quien muchos reyes quisieron ver y no vieron, oír y no oyeron, sino también abrazarlo, besarlo, vestirlo y custodiarlo! Ruega por nosotros, bienaventurado José, para que seamos dignos de alcanzar las promesas de nuestro Señor Jesucristo. Amén.

Oración

¡Oh Dios! que nos concediste el sacerdocio real, te pedimos que, así como San José mereció tratar y llevar en sus brazos con cariño a tu Hijo unigénito, nacido de la Virgen María, hagas que nosotros te sirvamos con corazón limpio y buenas obras, de modo que hoy recibamos dignamente el Santísimo Cuerpo de tu Hijo y en la vida futura merezcamos alcanzar la vida eterna. Por el mismo Jesucristo Nuestro Señor. Amén.

Oraciones para después de la Misa

Al terminar la Misa, conviene dedicar unos minutos a dar gracias a Jesús por la Comunión recibida. Se pueden leer despacio y con atención estas oraciones:

Alma de Cristo
Alma de Cristo, santifícame.
Cuerpo de Cristo, sálvame.
Sangre de Cristo, embriágame.

Agua del costado de Cristo, lávame.
Pasión de Cristo, confórtame.
¡Oh, Buen Jesús!, óyeme.
Dentro de tus llagas, escóndeme.
No permitas que me aparte de Ti.
Del maligno enemigo, defiéndeme.
En la hora de mi muerte, llámame.
Y mándame ir a Ti,
para que con tus Santos te alabe.
Por los siglos de los siglos. Amén.

Acto de entrega de Sí

Toma, Señor, y recibe mi libertad, mi memoria, mi entendimiento y toda mi voluntad, todo mi haber y mi poseer. Tú me lo diste, a Ti, Señor, lo torno; todo es tuyo; dispón de ello conforme a tu voluntad. Dame tu amor y gracia, que esto me baste.

Oración ante el Crucifijo

Mírame, ¡oh, mi amado y buen Jesús! Postrado en tu presencia, te ruego con el mayor fervor imprimas en mi corazón vivos sentimientos de fe, esperanza y caridad, verdadero dolor de mis pecados y propósito de jamás ofenderte, mientras que yo, con el mayor afecto y compasión de que soy capaz, voy considerando tus cinco llagas, teniendo presente lo que dijo de Ti el Santo Profeta David: "Han taladrado mis manos y mis pies y se pueden contar todos mis huesos"

Oración Mental

Antes

Señor mío y Dios mío, creo firmemente que estás aquí, que me ves, que me oyes; te adoro con profunda reverencia, te pido perdón de mis pecados y gracia para hacer con fruto este rato de oración. Madre mía Inmaculada, San José, mi Padre y Señor, Ángel de mi Guarda, interceded por mí.

Después

Te doy gracias, Dios mío, por los buenos propósitos, afectos e inspiraciones que me has comunicado en esta meditación, te pido ayuda para ponerlos por obra. Madre mía Inmaculada, San José, mi Padre y Señor, Ángel de mi Guarda, interceded por mí.

Oración de Santa Teresa de Ávila

Una consecuencia de la fe en el Dios único es confiar en Dios
en todas las circunstancias, incluso en la adversidad.

> Nada te turbe, nada te espante.
> Todo se pasa. Dios no se muda.
> La paciencia todo lo alcanza.
> Quien a Dios tiene nada le falta.
> Sólo Dios basta.

Oración

¡Oh Dios, que has instruido los corazones de tus fieles
con luz del Espíritu Santo! Concédenos que sintamos

rectamente con el mismo Espíritu y gocemos siempre de su divino consuelo. Por Jesucristo Nuestro Señor. Amén.

Te damos gracias, Dios todopoderoso, por todos tus beneficios. Que vives y reinas por los siglos de los siglos. Amén.

Ofrecimiento del Día

En el nombre del Padre y del Hijo y del Espíritu Santo. Amén.

¡Señor mío y Dios mío! Te doy gracias por haberme creado, redimido, hecho cristiano y conservado la vida. Te ofrezco mis pensamientos, palabras y obras de este día. No permitas que te ofenda y dame fortaleza para huir de las ocasiones de pecar. Haz que crezca mi amor hacia Ti y hacia los demás.

Aceptación de la voluntad de Dios

Hágase, cúmplase, sea alabada y eternamente ensalzada la justísima y amabilísima Voluntad de Dios, sobre todas las cosas. Amén.

Para mantener la presencia del Señor

Señor, Dios todopoderoso, que nos has hecho llegar al comienzo de este día, sálvanos hoy con tu poder para que no caigamos en ningún pecado, sino que nuestras palabras, pensamientos y acciones sigan el camino de tus mandatos. Por Nuestro Señor Jesucristo, tu Hijo, que vive y reina contigo, en la unidad del Espíritu Santo, por los siglos de los siglos. Amén.

A la Santísima Virgen

¡Oh, Señora mía! ¡Oh, Madre mía! Yo me ofrezco enteramente a Vos y, en prueba de mi filial afecto, te consagro en este día mis ojos, mis oídos, mi lengua, mi corazón; en una palabra, todo mi ser. Ya que soy todo tuyo, Madre compasiva, guárdame y defiéndeme como a pertenencia y posesión tuya. Amén.

Ofrecimiento de Nuestras Obras

Te rogamos, Señor, que inspires nuestras acciones y las continúes con tu ayuda, a fin de que todo cuanto oremos

y obremos proceda siempre de Ti y por Ti lo concluya-
mos. Por Cristo, nuestro Señor. Amén.

Acto de Fe

Creo en Dios Padre, creo en Dios Hijo, creo en Dios Espíritu Santo, creo en la Santísima Trinidad, creo en mi Señor
Jesucristo, Dios y Hombre Verdadero.

Acto de Esperanza

Espero en Dios Padre, espero en Dios Hijo, espero en
Dios Espíritu Santo, espero en la Santísima Trinidad, espero en mi Señor Jesucristo, Dios y Hombre Verdadero.

Acto de Caridad

Amo a Dios Padre, amo a Dios Hijo, amo a Dios Espíritu
Santo, amo a la Santísima Trinidad, amo a mi Señor Jesucristo, Dios y Hombre Verdadero.

Jesús, José y María

Jesús, José y María,
Os doy el corazón y el alma mía.
Jesús, José y María.
Asistidme en mi última agonía.

Jesús, José y María.
Descanse en paz con Vos el alma mía.

Acción de Gracias

Te damos gracias por todos los beneficios, Dios todopoderoso, que vives y reinas por los siglos de los siglos. Amén.

Bendición de la Mesa

Antes

Bendícenos, Señor, y bendice estos alimentos que por tu bondad vamos a tomar. Por Jesucristo Nuestro Señor. Amén. *(Añadir en comida y cena).* El Rey de la Gloria nos haga partícipes de la Mesa Celestial. Amén.

Después

Te damos gracias, Señor, por todos tus beneficios. Tú que vives y reinas por los siglos de los siglos. Amén. El Señor nos dé su Paz. Y la vida eterna. Amén.

Oración antes de un Viaje

Por intercesión de la Bienaventurada Virgen María, tengamos un buen viaje. El Señor esté en nuestro camino y sus Ángeles nos acompañen. En el nombre del Padre y del Hijo y del Espíritu Santo. Amén.

Impreso en los talleres de
Trabajos Manuales Escolares,
Oriente 142 No. 216
Col. Moctezuma 2a. Secc.
Tels. 5 784.18.11 y 5 784.11.44
México, D.F.